5/05

1000 EJERCICIOS Y JUEGOS DE
MUSCULACIÓN

Colección HERAKLES

L. Guibbert
J. P. Klug, J. C. Payan, A. Terme
y J. M. Vincensini

1000 EJERCICIOS Y JUEGOS DE

MUSCULACIÓN

Contiene 470 ilustraciones esquemáticas

EDITORIAL HISPANO EUROPEA S. A.

Asesor Técnico: **Santos Berrocal**

Título de la edición original: **1000 exercices et jeux de musculation.**

© de la traducción: **Fernando Ruiz Gabás.**

Es propiedad, 2004
© **Editions Vigot.** París (Francia).

© de la edición en castellano:
Editorial Hispano Europea, S. A.
Primer de Maig, 21 - Pol. Ind. Gran Via Sud
08908 L'Hospitalet - Barcelona, España.
E-mail: hispanoeuropea@hispanoeuropea.com

Depósito Legal: B. 38618-2004

ISBN: 84-255-0908-4

Cuarta edición

Consulte nuestra web:
www.hispanoeuropea.com

IMPRESO EN ESPAÑA   PRINTED IN SPAIN

LIMPERGRAF, S. L. - Mogoda, 29-31 (Polígono Industrial Can Salvatella) - 08210 Barberà del Vallés

Indice

Agradecimientos

— A Jean-Claude Durand, Director del C.R.E.P.S. de Aix-en-Provence, por haber puesto a nuestra disposición las instalaciones y las salas especializadas de musculación del C.R.E.P.S., a fin de realizar el montaje fotográfico de esta obra.
— A las diferentes empresas: Galaxy-Sport, Sudec, Air-Anatomie por habernos autorizado a reproducir sus aparatos de musculación.
— A la promoción HA.CU.ME.SE. 1987-88, que ha participado en la selección de los ejercicios de musculación y en la elaboración de las indicaciones para su ejecución.

Introducción

Se proponen diferentes posibilidades de musculación, relativas a diversas disciplinas, ya sea utilizando aparatos más o menos sofisticados, ya sea con un material más accesible, tal como pelotas lastradas o balones medicinales o con la cooperación de un compañero.

Los ejercicios de musculación se agrupan así: mantenimiento corporal, mejora del rendimiento, culturismo y halterofilia.

Por una parte presentamos:

— ejercicios de musculación específicos dirigidos al mantenimiento físico y a la mejora del rendimiento deportivo.

Y por otra parte:

— ejercicios de musculación utilizados en la práctica de la halterofilia y el culturismo.

Cada una de las partes de esta obra presenta un contenido de acuerdo total o parcialmente con el siguiente plan:

— ejercicios de musculación general o con dominante que solicitan la intervención de varios grupos musculares.
— ejercicios de musculación específica que solicitan la participación de un grupo muscular en concreto.

Estos últimos se clasifican en función de su acción sobre las diferentes partes del cuerpo humano:

— miembros superiores y parte alta del tronco (antebrazo, brazo, cintura escapular, cuello y caja torácica).
— miembros inferiores y parte baja del tronco (piernas, muslo, pelvis, abdomen).

Nociones de fuerzas estática y dinámica

2.1. FUERZA ESTATICA DE LOS MIEMBROS SUPERIORES

Definición

Es la aptitud para utilizar la fuerza muscular de los miembros superiores para oponerse a un desplazamiento o sostener una carga en una posición fija. Esta fuerza puede desglosarse en:

a. *Fuerza estática máxima:* Se ejerce durante un breve período de tiempo.
b. *Fuerza estática de resistencia:* Puede mantenerse durante un largo período de tiempo, pues su valor es débil.

Esta actitud concierne a los músculos de las manos, antebrazos, brazos y cintura escapular.

¿En qué se diferencia la fuerza estática de los miembros superiores de otras aptitudes?	
Lo que la caracteriza	*Lo que caracteriza a las otras*
Utilización de los músculos del miembro superior para fijar este segmento del cuerpo. Sostener un objeto	*Fuerza dinámica explosiva* Utiliza la fuerza de los músculos de los miembros superiores para desplazar un objeto con velocidad, esfuerzos breves e intensos
Utilización continua de la fuerza muscular, sin cambio de la posición del brazo sobre el cuerpo para oponerse a un desplazamiento	*Fuerza dinámica máxima* Utiliza la fuerza máxima de los músculos de los miembros superiores en un desplazamiento lento y de corta duración
Fuerza estática máxima Se ejerce durante un breve período de tiempo *Fuerza estática de resistencia* El débil valor de la fuerza se ejerce durante un período de tiempo elevado	*Fuerza dinámica de resistencia* Utilización repetida de la fuerza muscular de los miembros superiores durante grandes períodos de tiempo para desplazar el propio cuerpo o un objeto

Fuerza estática de los miembros superiores		
Exige la utilización de la *fuerza estática máxima* para sostener objetos muy pesados o una parte importante del cuerpo	7	El «Cristo» en las anillas
	6	
	5	
	4	
	3	Transportar un cubo de agua
	2	
La *fuerza estática de resistencia* exige una débil utilización de la fuerza de los miembros superiores y puede mantenerse durante mucho tiempo	1	Sostener una raqueta de tenis de mesa por encima de la superficie de la mesa

2.2. FUERZA DINAMICA DE LOS MIEMBROS SUPERIORES

Definición

Es la aptitud de los músculos de los miembros superiores para desplazar su propio cuerpo o los objetos.

Esta fuerza puede desglosarse en:

a.   *Fuerza dinámica explosiva:* Esta fuerza permite movilizar los miembros superiores para propulsar el propio cuerpo o un objeto con rapidez, al instante, durante un breve período de tiempo.
Pone de manifiesto cualidades de fuerza y velocidad, como las que se utilizan en el caso de un lanzamiento (por ejemplo).

b.   *Fuerza dinámica máxima:* Esta fuerza permite movilizar cargas máximas en un desplazamiento lento para elevar, tirar, empujar.

c.   *Fuerza dinámica de resistencia:* Esta fuerza permite movilizar de modo repetitivo durante un largo período de tiempo, el miembro superior para elevar, tirar, empujar y pone de manifiesto la resistencia a la fatiga de los músculos de las manos, antebrazos, brazos y cintura escapular. Utilizada para nadar 3.000 m.

¿En qué se diferencia la fuerza dinámica de los miembros superiores de otras aptitudes?	
Lo que la caracteriza	*Lo que caracteriza a las otras*
	Fuerza estática
Desplaza el propio cuerpo o los objetos ejerciendo una fuerza de manera repetitiva o continua y cambiando continuamente la posición de los miembros superiores para efectuar la tarea	Ejerce una fuerza muscular a nivel de los miembros superiores para inmovilizar una carga sin modificar la posición de los segmentos: manos, antebrazos, brazos, cintura escapular
Fuerza dinámica máxima Moviliza la carga más elevada posible con ayuda de un movimiento lento, utilizando los músculos de los miembros superiores	*Fuerza estática máxima* Sostiene una carga máxima en una posición fija durante un breve período de tiempo, utilizando los músculos de los miembros superiores
Fuerza dinámica explosiva Moviliza el propio cuerpo o un objeto con velocidad elevada durante un breve período de tiempo, con la acción de los músculos de los miembros superiores	*Fuerza estática de resistencia* Sostiene una carga poco elevada en una posición fija durante un largo período de tiempo, utilizando los músculos de los miembros superiores
Fuerza dinámica de resistencia Moviliza de modo repetitivo una carga durante un largo período de tiempo con ayuda de los músculos de los miembros superiores	

Fuerza dinámica de los miembros superiores			
	Fuerza explosiva		*Fuerza de resistencia*
7 -	Exige explosiones del máximo de fuerza muscular para impulsar su cuerpo	7 -	Exige la utilización de fuerza muscular importante durante un tiempo muy largo
6 -	O los objetos	6 -	Duración
5 -	Lanzar el peso del cuerpo en halterofilia	5 -	Remar durante una hora
4 -		4 -	Nadar 1.500 m en «crawl»
3 -	Drive en golf, directo en boxeo	3 -	
2 -		2 -	
1 -		1 -	
1 -	Servicio en tenis de mesa		
0 -	Exige explosiones de poca fuerza muscular para impulsar objetos o partes ligeras del cuerpo	0 -	Exige la utilización de poca fuerza muscular durante mucho tiempo

2.3. FUERZA ESTATICA DE LOS MIEMBROS INFERIORES

Definición

Es la aptitud para utilizar la fuerza muscular de los miembros inferiores con el fin de oponerse a un desplazamiento o sostener una carga en una posición fija. Esta fuerza puede desglosarse en:

a. *Fuerza estática máxima:* Se ejerce durante un breve período de tiempo.
b. *Fuerza estática de resistencia:* Puede mantenerse durante un largo período de tiempo, pues su valor es débil.

Esta aptitud concierne a los músculos de los pies, de las piernas, de los muslos.

¿En qué se diferencia la fuerza estática de los miembros inferiores de otras aptitudes?	
Lo que la caracteriza	Lo que caracteriza a las otras
Utilización de los músculos de los miembros inferiores para ejercer fuerza contra los objetos y oponerse a un desplazamiento del cuerpo	*Fuerza dinámica explosiva* Utiliza la fuerza de los músculos inferiores para desplazar un objeto o el cuerpo a velocidad elevada. Esfuerzo breve e intenso
Utilización continua de la fuerza muscular, sin cambio de la posición del cuerpo o de los miembros inferiores	*Fuerza dinámica máxima* Utiliza la fuerza máxima de los músculos de los miembros inferiores en un desplazamiento lento y de corta duración
Fuerza estática máxima Se ejerce durante un breve período de tiempo *Fuerza estática de resistencia* Se ejerce durante un período de tiempo elevado, valor débil	*Fuerza dinámica de resistencia* Utilización repetida de la fuerza muscular de los miembros inferiores durante grandes períodos de tiempo para desplazar el cuerpo o un objeto

Fuerza estática de los miembros inferiores		
Exige la utilización de la *fuerza estática máxima* de los miembros inferiores para sostener objetos muy pesados	7	
	6	Empuje en una «mêlée» de rugby
	5	
	4	Efectuar una manga en moto-trial
	3	
	2	
Exige una débil utilización de la fuerza de los miembros inferiores y puede mantenerse mucho tiempo como *fuerza estática de resistencia*	1	Presenciar un partido de fútbol de pie

2.4.   FUERZA DINAMICA DE LOS MIEMBROS INFERIORES

Definición

Es la aptitud de los músculos de los miembros inferiores para desplazar su propio cuerpo o los objetos.

Esta fuerza puede desglosarse en:

a.   *Fuerza dinámica explosiva:* Esta fuerza permite movilizar los miembros inferiores para propulsar el propio cuerpo o un objeto con rapidez, al instante, durante un breve período de tiempo. Se utiliza en caso de un salto (por ejemplo).

b.   *Fuerza dinámica máxima:* Esta fuerza permite movilizar cargas máximas en un desplazamiento lento para elevar, tirar, empujar.

c.   *Fuerza dinámica de resistencia:* Esta fuerza permite movilizar de modo repetitivo durante un largo período de tiempo los miembros inferiores para elevar, tirar, empujar y pone de manifiesto la resistencia a la fatiga de los músculos de los pies, las piernas y los muslos. Ejemplo: marcha de 20 km.

¿En qué se diferencia la fuerza dinámica de los miembros inferiores de otras aptitudes?	
Lo que la caracteriza	*Lo que caracteriza a las otras*
Desplaza su propio cuerpo o los objetos ejerciendo una fuerza de manera repetitiva o continua y cambiando continuamente la posición de los miembros inferiores para efectuar una tarea	*Fuerza estática* Ejerce una fuerza muscular a nivel de los miembros inferiores para inmovilizar una carga sin modificar la posición de los segmentos: pies, piernas, muslos
Fuerza dinámica máxima Moviliza la carga más elevada posible con ayuda de un movimiento lento utilizando los músculos de los miembros inferiores	*Fuerza estática máxima* Sostiene una carga máxima en una posición fija durante un breve período de tiempo utilizando los músculos de los miembros inferiores
Fuerza dinámica explosiva Moviliza el propio cuerpo o un objeto con una velocidad elevada durante un breve período de tiempo con la acción de los miembros inferiores	*Fuerza estática de resistencia* Sostiene una carga poco elevada en una posición fija durante un largo período de tiempo utilizando los músculos de los miembros inferiores
Fuerza dinámica de resistencia Moviliza de modo repetitivo una carga durante un largo período de tiempo con ayuda de los músculos de los miembros inferiores	

Fuerza dinámica de los miembros inferiores		
Fuerza explosiva Exige explosiones máximas de fuerza muscular de los miembros inferiores a fin de propulsar el propio peso o los objetos	7 7	*Fuerza de resistencia* Exige el empleo de modo repetitivo de la fuerza muscular de los miembros inferiores durante un tiempo muy largo
	6 6	
Correr 100 m en 11"	5 5	Correr marathon Etapa de 150 km en cicloturismo
Saltar de una plataforma situada a 1 m del suelo	4 4	
Enviar un balón a 30 m con un chut	3 3	
Saltar 20 cm a la pata coja	2 2	Paseo a pie de 1 h sin pararse
Exige débiles explosiones de fuerza muscular de los miembros inferiores para desplazar el propio peso o los objetos	1 1	Exige el empleo de una débil cantidad de fuerza muscular durante un tiempo elevado para desplazar el propio cuerpo o los objetos

2.5. FUERZA ESTATICA DEL TRONCO

Definición

Es la aptitud de los músculos abdominales y dorsolumbares para inmovilizar o fajar la pelvis en el tronco o el tronco en la pelvis. Para oponerse a un desplazamiento o sostener una carga en una posición dada. Esta fuerza puede desglosarse en:

a. *Fuerza estática máxima:* Se ejerce durante un breve período y es la más elevada posible.
b. *Fuerza estática de resistencia:* Puede mantenerse durante un largo período de tiempo, pues su valor es débil.

Esta aptitud concierne a los músculos de las zonas torácica y abdominal.

¿En qué se diferencia la fuerza estática del tronco de otras aptitudes?	
Lo que la caracteriza	*Lo que caracteriza a las otras*
Utilización de los músculos dorsolumbares y abdominales para inmovilizar el tronco y oponerse a la deformación	*Fuerza dinámica explosiva* Utiliza la fuerza de los músculos del tronco para desplazar un objeto con velocidad
Utilización continua de la fuerza muscular del tronco sin cambio de la posición de la columna vertical para mantener la colocación del eje vertical	*Fuerza dinámica máxima* Utiliza la fuerza máxima de los músculos abdominales y dorsolumbares en un desplazamiento lento y de corta duración
Fuerza estática máxima Se ejerce durante un breve período de tiempo. La *fuerza estática de resistencia* se ejerce durante un período elevado de tiempo	*Fuerza dinámica de resistencia* Desplaza de modo repetitivo una parte del cuerpo con los músculos del tronco durante un largo período de tiempo

Fuerza estática del tronco		
Exige la utilización de toda la fuerza posible de los músculos del tronco para oponerse a la deformación de la columna vertebral (duración corta) Fuerza máxima	7	
	6	
	5	Empuje de los pilares en una mêlée (rugby)
	4	Mantener la posición de «peral» con apoyo invertido en gimnasia
	3	
	2	
Exige la utilización de poca fuerza abdominal o dorsal para oponerse a la deformación de la columna vertebral, aunque durante un período largo de tiempo. Fuerza de resistencia	1	Llevar una mochila a la espalda durante una excursión
	0	

2.6. FUERZA DINAMICA DEL TRONCO

Definición

Es la aptitud de los músculos del tronco abdominales y dorsolumbares para desplazar el propio cuerpo o los objetos. Esta fuerza puede desglosarse en:

a. *Fuerza dinámica explosiva:* Esta fuerza permite movilizar el tronco para propulsar el cuerpo o un objeto con rapidez durante un tiempo breve y pone de manifiesto cualidades de fuerza-velocidad.
b. *Fuerza dinámica de resistencia:* Moviliza de modo repetitivo y durante un largo período de tiempo el tronco y pone de manifiesto la resistencia a la fatiga de los músculos abdominales y dorsolumbares.

Fuerza dinámica del tronco		
Fuerza explosiva		*Fuerza de resistencia*
	7	
Agarrar por la cintura al contrario en lucha	6	Hacer 100 flexiones sentado
	5	
Saque de banda de 20 m en fútbol	4	
		Jugar una parte en hockey
Lanzamiento del tronco a la llegada de un sprint	3	
	2	
	1	Recoger 100 pelotas de tenis
	0	

Ejercicios de musculación relativos a diversas disciplinas

3.1. EJERCICIOS DE MUSCULACION DIRIGIDOS AL MANTENIMIENTO CORPORAL

3.1.1. EJERCICIOS DE MUSCULACION GENERAL O CON DOMINANTE

Grupos musculares solicitados	Descripción o esquema de los ejercicios	Indicaciones para su ejecución
Musculación general.		— Avanzar a cuatro patas con las piernas extendidas. — Retroceder de la misma manera.
Musculación general.		— Avanzar con las manos dejando que los pies se arrastren (de cara al suelo).
Musculación general.		— Avanzar con las manos dejando que los pies se arrastren (de espaldas al suelo).
Musculación general.		— Avanzar con la espalda (o con los hombros) ayudándose con las piernas pero no con los pies (las manos se apoyan sobre el vientre).
Trabajo de «detente» vertical (tríceps, deltoides, trapecio, romboides mayor) musculación general.		— Se parte de una posición de pie frente a las espalderas, con los brazos estirados y extensión de todo el cuerpo tenso hacia arriba.
Trabajo de contracción (tensión) musculación general.		— Trabajo estático, mantenerse en equilibrio (¡los pies no se apoyan en ninguna parte!) en las espalderas con los brazos extendidos.

3.1.1. EJERCICIOS DE MUSCULACION GENERAL O CON DOMINANTE

Grupos musculares solicitados	Descripción o esquema de los ejercicios	Indicaciones para su ejecución
Musculación general.		— Salto en extensión sobre el terreno subiendo las rodillas a la altura del pecho.
Musculación general.		— Salto en extensión sobre el terreno flexionando las rodillas con los talones a la altura de los glúteos.
Musculación general.		— **A** está en suspensión, con el pecho frente a las espalderas, y se apoya con los pies lo más cerca posible de las manos encogiéndose rápidamente.
Musculación general. (Abdominales, miembros superiores, glúteos, tronco...)		— **A** está en equilibrio sobre los glúteos, **B** le lanza un balón medicinal de tal manera que la recepción se efectúe en ligero desequilibrio (a la derecha, a la izquierda, por encima de la cabeza). **A** atrapa el balón medicinal y lo vuelve a lanzar siempre en equilibrio sobre los glúteos.
Musculación general. Trabajo del tren inferior y de las muñecas.	● *Salto a la comba*	1. Con un pie 2. Con los dos pies 3. Con los dos pies alternados 4. Con dos personas 5. Elevando las rodillas 6. Cruzando los brazos 7. Andando, corriendo 8. Retrocediendo, etc.

3.1.1. EJERCICIOS DE MUSCULACION GENERAL O CON DOMINANTE

Grupos musculares solicitados	Descripción o esquema de los ejercicios	Indicaciones para su ejecución
Trabajo del tren inferior.		— Con un balón medicinal sobre la nuca, saltar con los pies juntos avanzando.
Trabajo del tren inferior.		— Un balón medicinal: Dar multisaltos con los pies juntos, ayudándose con el balón medicinal como elemento de equilibrio.
Trabajo del tren superior (pectorales) y del tren inferior		— Con un balón medicinal sobre la nuca, y la espalda bien recta, avanzar con «pasos de pato» (piernas flexionadas).
Musculación de las extremidades superiores.	● *Tres formas de trepar*	1. Trepar con la fuerza de las manos sin ayuda de los pies. 2. Trepar con una cuerda en cada mano sin ayuda de los pies. La ascensión se hace con una mano después de otra. 3. Trepar con una cuerda en cada mano sin ayuda de los pies. La ascensión se hace con las dos manos simultáneamente.

3.1.1.   EJERCICIOS DE MUSCULACION GENERAL O CON DOMINANTE

Grupos musculares solicitados	Descripción o esquema de los ejercicios	Indicaciones para su ejecución
Trabajo del cuello: parte posterior.	Con un compañero sentado en tierra con las piernas cruzadas. Colocar el antebrazo en su clavícula/hombro y una mano detrás de la nuca, resistiendo con la mano su empuje. 10 respiraciones.	— Compañero con pelvis en retroversión, espalda recta. Durante el movimiento, trabajo de los cervicales, pero sin acompañar con el dorsal. No mover el tronco.
Trabajo del cuello: parte anterior.	Con un compañero sentado en tierra con las piernas cruzadas. Apoyar el antebrazo sobre sus trapecios, y la mano sobre su frente. 10 respiraciones.	— Las mismas observaciones que para la parte posterior. — Precauciones suplementarias: Colocar la rodilla en su zona dorsal.

3.1.1. EJERCICIOS DE MUSCULACION GENERAL O CON DOMINANTE

Grupos musculares solicitados	*Descripción o esquema de los ejercicios*	*Indicaciones para su ejecución*
Trabajo de los hombros para los deltoides medios.	Con un compañero sentado en tierra con las piernas cruzadas. Brazos extendidos a lo largo del cuerpo, elevación lateral. En posición arrodillada, ejercer presión sobre sus antebrazos para oponer resistencia a la elevación. 10 respiraciones.	— Eventualmente se puede colocar la rodilla a la altura de los dorsales, para evitar que el compañero pierda su postura.
Trabajo de los pectorales.	Posiciones del compañero idénticas a las anteriores. Brazos extendidos horizontalmente. Con las manos sobre sus antebrazos, oponer resistencia a la aducción. 10 respiraciones.	— Asegurar un buen control de la cintura abdominal, lumbar.
Trabajo de los deltoides parte posterior más trabajo de los dorsales.	El compañero, con la espalda recta, y sentado sobre sus talones, coloca los brazos extendidos hacia delante. Situando las manos sobre sus codos, oponer resistencia al movimiento de tracción. 10 respiraciones.	— Evitar ejercer una presión demasiado fuerte a nivel de los codos, para que el compañero no se ayude con los lumbares al tirar hacia atrás.

3.1.1. EJERCICIOS DE MUSCULACION GENERAL O CON DOMINANTE

Grupos musculares solicitados	Descripción o esquema de los ejercicios	Indicaciones para su ejecución
Pectorales Tríceps Deltoides	● *Respiración* — Inspirar durante la flexión de brazos. — Espirar durante la extensión.	— Ejecutante tumbado sobre la espalda, piernas flexionadas, brazos extendidos verticalmente, las manos abiertas, palmas hacia arriba. — Ayuda con apoyo extendido. — El ejecutante flexiona los brazos y luego los extiende.
Deltoides Trapecios 	● *Respiración* — Inspirar durante la abducción de brazos. Espirar durante la aducción. — Ejecutante, con las piernas semiflexionadas, pelvis en retroversión.	— Ejecutante de pie, con piernas semiflexionadas, brazos horizontales en cruz. — Ayuda con apoyo sobre los brazos del ejecutante. Frena la abducción de los brazos del ejecutante.
Gran dorsal 	● *Respiración* — Inspirar durante la abducción de brazos. Espirar durante la aducción. — Ejecutante, con las piernas semiflexionadas, pelvis en retroversión.	— Ejecutante de pie, con las piernas semiflexionadas, brazos elevados verticalmente. — El ayudante colocado detrás suyo le sujeta las muñecas. — El ejecutante realiza aducciones de brazos hacia el tronco.
Bíceps braquial	● *Respiración* — Inspirar durante la flexión del antebrazo sobre el brazo. — Espirar durante la extensión. — Ejecutante con pelvis en retroversión.	— Ejecutante de pie en posición de cuña hacia delante, con un brazo flexionado. — El ayudante le sujeta el brazo paralelo al suelo. — El ejecutante efectúa un movimiento de flexión del antebrazo sobre el brazo.

3.1.1. EJERCICIOS DE MUSCULACION GENERAL O CON DOMINANTE

Grupos musculares solicitados	Descripción o esquema de los ejercicios	Indicaciones para su ejecución
Deltoides-trapecios	● *Respiración* — Inspirar durante la abducción de los brazos, espirar durante la aducción.	— Ejecutante sentado con las piernas encogidas, brazos paralelos al suelo, antebrazos verticales. — Ayudante de pie, detrás del ejecutante, le sujeta las manos. — El ejecutante efectúa una elevación vertical de los dos brazos.
Gran dorsal Bíceps braquial	● *Respiración* — Inspirar durante la abducción de los brazos, espirar durante la aducción.	— Ejecutante sentado, piernas encogidas, brazos extendidos verticalmente. — El ayudante detrás, de pie, le sujeta las muñecas. — El ejecutante efectúa tracciones de brazos.
Glúteos Cuádriceps Tríceps	● *Respiración* — Inspirar, espirar una vez de cada dos.	— Dos ejecutantes: tumbados sobre la espalda en sentido opuesto, con las piernas semiflexionadas, con oposición mutua de las plantas de los pies. Cada uno opone alternativamente resistencia a la extensión de una pierna, y luego la otra.
Cuádriceps Glúteos	● *Respiración* — Inspirar durante la extensión de los muslos, espirar durante la flexión	— El ejecutante recostado sobre la espalda, con las piernas flexionadas. — El ayudante, enfrente, se tiende apoyando su vientre sobre los pies del ejecutante, con el cuerpo en posición oblicua, y sujetando los pies con las manos. — El ejecutante extiende, y después flexiona, las piernas en posición hacia arriba.

3.1.1. EJERCICIOS DE MUSCULACION GENERAL O CON DOMINANTE

Grupos musculares solicitados	Descripción o esquema de los ejercicios	Indicaciones para su ejecución
Trabajo lumbares/glúteos	Con el compañero tumbado sobre el vientre, mantener sus hombros pegados al suelo. Extensión de las piernas hacia la pelvis.	— Débil elevación de las piernas para evitar repercusiones en las vértebras.
Trabajo de los glúteos	Con el compañero recostado sobre la espalda, con una pierna elevada verticalmente, mientras la otra permanece flexionada apoyada en el suelo. Mantener su pelvis pegada al suelo con una mano, y con la otra ejercer oposición a la extensión pierna/pelvis.	— El compañero mantiene la pelvis pegada al suelo a pesar del esfuerzo de la extensión, que implica el riesgo de obligarle a separarla. — Para ello, ayudarle ejerciendo una presión suficientemente fuerte con la mano sobre su cadera.

3.1.1. EJERCICIOS DE MUSCULACION GENERAL O CON DOMINANTE

Grupos musculares solicitados	Descripción o esquema de los ejercicios	Indicaciones para su ejecución
Trabajo de los cuádriceps		— Una persona tumbada sobre la espalda, y otra de pie con el torso apoyado contra los pies de la otra. — Rechazar al compañero con las piernas flexionadas y luego extendidas.
Cuádriceps		— Trabajo entre dos. **B** frente a una pared, con la pierna derecha semiflexionada contra la pared, empuja con su pierna derecha, mientras **A** opone resistencia a esta acción. Cambiar de pierna.
Cuádriceps		— Una cuerda. — **A** retiene a **B** con ayuda de una cuerda, **B** anda o corre según la resistencia de **A**.
Isquiotibiales, glúteos, lumbares		— **A** está de rodillas (sobre la zona de sus pies) y se apoya en los brazos de **B** para elevarse. — Atención: no utilizar la fuerza de los brazos, sino apoyarse sobre los tobillos.

3.1.1. EJERCICIOS DE MUSCULACION GENERAL O CON DOMINANTE

Grupos musculares solicitados	Descripción o esquema de los ejercicios	Indicaciones para su ejecución
Glúteos, isquiotibiales, cuádriceps Pedaleo excéntrico-concéntrico (estiramiento cuádriceps, isquiotibiales más contracción)		— Poner los brazos en cuadro. — Inspirar durante el esfuerzo. — Concentración en la contracción y no en el compañero. — La cabeza permanece apoyada en el suelo.
Espalda de burro en las espalderas (gemelos más sóleo en concéntrico).		— El ejercicio es más eficaz con una elevación de las puntas de los pies. Respiración fisiológica.

3.1.1.   EJERCICIOS DE MUSCULACION GENERAL O CON DOMINANTE

Grupos musculares solicitados	*Descripción o esquema de los ejercicios*	*Indicaciones para su ejecución*
Aductores Abductores	● *Respiración* — Inspirar durante la fase de reposo. — Espirar durante la fase del esfuerzo. 	— Dos ejecutantes sentados frente a frente, con las piernas extendidas y separadas, tobillo contra tobillo, brazos extendidos oblicuamente hacia atrás, manos en el suelo. — Cada uno opone alternativamente una resistencia a la separación, y luego al acercamiento, de las piernas del otro. — Variar la posición relativa de los pies, primero en el interior y después en el exterior.
Cuádriceps Glúteos	● *Respiración* — Inspirar durante la extensión de los muslos. — Espirar durante la flexión de los muslos. 	— Ejecutante en cuclillas con las piernas separadas, al ancho de la pelvis, espalda recta. Brazos extendidos horizontalmente hacia delante. — El ayudante de pie frente a él en posición de cuña hacia atrás, sujeta al ejecutante por las muñecas. — El ejecutante realiza extensiones y flexiones de piernas.

3.1.1. EJERCICIOS DE MUSCULACION GENERAL O CON DOMINANTE

Grupos musculares solicitados	Descripción o esquema de los ejercicios	Indicaciones para su ejecución
Cuádriceps Gemelos Glúteos	Dos ejecutantes frente a frente, uno agachado, el otro de pie, se agarran de las manos. El que está agachado salta verticalmente mientras el otro se agacha.	— Otro tipo de trabajo de fuerza y de extensión de las extremidades inferiores (ej. de utilización: salto sobre trampolín).
Dorsales Deltoides Trapecio	Dos ejecutantes dándose la espalda, con las piernas extendidas y separadas, uno pasa el balón medicinal a su compañero por encima de la cabeza con los brazos estirados; luego lo recibe entre las piernas. Conservar las piernas extendidas e incrementar la intensidad del ejercicio aumentando la distancia entre los compañeros.	— Trabajo de fuerza de los dorsales, deltoides y trapecio (ej. de utilización: en musculación de la espalda y fortalecimiento de la cintura escapular).
Oblicuos	Dos ejecutantes sentados dándose la espalda, aproximadamente a un metro de distancia, con las piernas extendidas y separadas. Uno pasa el balón medicinal, sujeto con las dos manos, y los brazos estirados, a su compañero, girando el tronco hacia atrás; y después recibe el balón medicinal girándose al otro lado.	— Trabajo de la fuerza de los oblicuos; trabajo de la coordinación con ritmo rápido (ej. de utilización: en musculación del oblicuo mayor del abdomen).
Isquiotibiales Aductores	Tumbado sobre el vientre en un banco, con el balón medicinal sujeto entre los pies, flexionar primero y extender después las pantorrillas con respecto a los muslos.	— Trabajo de la fuerza de los isquiotibiales, sin sacudidas y lentamente y de los aductores (ej. de utilización: especialmente en musculación).

3.1.1. EJERCICIOS DE MUSCULACION GENERAL O CON DOMINANTE

Grupos musculares solicitados	Descripción o esquema de los ejercicios	Indicaciones para su ejecución
Trabajo de los aductores de las piernas	● *Talones planos*	— Trabajo entre dos:
		1. **A** está sentado en un banco con las piernas flexionadas. **B** está de rodillas delante de **A** y le sujeta las rodillas. **A** debe separar las piernas y **B** se opone a esta separación (**B** trabaja también los pectorales).
Trabajo de los aductores de las piernas		2. El mismo trabajo con las piernas extendidas. **A** aprieta las piernas y **B** se opone a esta acción separando las piernas.
Trabajo de los abdominales		— Trabajo entre dos, **A** sujeta los tobillos de **B**, **B** se endereza, con las manos en la nuca soplando muy fuerte.
Trabajo de los oblicuos		— La misma posición de partida, pero al enderezarse, **B** toca con su codo su rodilla opuesta.
Trabajo de los lumbares y de los isquiotibiales		1. **B** con los brazos tras la nuca, **A** sujeta los tobillos de **B**, quien se endereza (este ejercicio puede realizarse con fuerza estática o dinámica).
		2. El mismo ejercicio con un balón medicinal. **A** y **B** se pasan el balón medicinal por encima de la valla.

3.1.1. EJERCICIOS DE MUSCULACION GENERAL O CON DOMINANTE

Grupos musculares solicitados	Descripción o esquema de los ejercicios	Indicaciones para su ejecución
Recto mayor	• *Respiración* — Inspirar durante la extensión del tronco. — Espirar durante la flexión del tronco.	— El ejecutante sentado, con las piernas encogidas, manos sobre los hombros. — El ayudante de rodillas delante suyo le sujeta por los tobillos. — El ejecutante realiza flexiones del tronco.
Recto mayor	• *Respiración* — Inspirar durante la extensión del tronco. — Espirar durante la flexión del tronco.	— Dos ejecutantes sentados frente a frente. Piernas flexionadas, los pies colocados bajo la zona glútea del compañero. — Acostarse simultáneamente sobre la espalda, y enderezarse después.
Trabajo de los abdominales	El compañero tumbado sobre la espalda, con las piernas flexionadas. Ponerse de rodillas, sentado sobre sus pies, y mantener sus extremidades inferiores pegadas al suelo.	El compañero se endereza teniendo cuidado en conservar «arqueada» la espalda hasta la flexión completa. Se endereza al final del movimiento.

3.1.1. EJERCICIOS DE MUSCULACION GENERAL O CON DOMINANTE

Grupos musculares solicitados	*Descripción o esquema de los ejercicios*	*Indicaciones para su ejecución*
Trabajo del tronco en rotación (oblicuos mayores y menores)		— Trabajo entre dos, con un balón medicinal, pasárselo con las dos manos con una rotación del tronco. Los dos compañeros están de espaldas. (Una vez a la derecha, una vez a la izquierda.) — Repetir el mismo ejercicio con la variante de que si **A** se gira hacia la derecha, **B** se gira hacia la izquierda.
Trabajo del tronco (serrato mayor)		— Trabajo entre dos con un balón medicinal. **A** y **B** están de pie, con las piernas separadas, uno al costado del otro; se pasan el balón lateralmente por encima de la cabeza y vuelven a la posición inicial.
Trabajo del tronco en rotación (oblicuos mayores y menores)		— Trabajo entre dos con un balón medicinal. **A** y **B** están de costado y se pasan el balón medicinal lateralmente a la izquierda, y luego a la derecha.

3.1.2. EJERCICIOS DE MUSCULACION ESPECIFICA

3.1.2.1. Miembros superiores y parte alta del tronco

Grupos musculares solicitados	Descripción o esquema de los ejercicios	Indicaciones para su ejecución
Romboides Dorsales Tríceps		— Entre dos con un bastón, estirar con los dos brazos extendidos hasta el pecho, atrayendo al compañero. — Codos levantados y bien separados.
Romboides Dorsales Tríceps	El ejecutante coge al compañero de las muñecas, estirando hacia sí hasta que el compañero llegue a tocar su pecho.	— Ligero pivote de tres cuartos.
Tríceps Deltoides anterior Dorsales		— En el suelo un atleta estira al otro hasta situarlo debajo suyo.
Deltoides anterior Trapecio, serrato mayor Tríceps		— En el suelo el ejecutante se apalanca en el compañero para salir de la posición anterior.
Tríceps Deltoides anterior Dorsales Flexores de la mano Bíceps, tríceps, dorsales Deltoide anterior Pectorales (para la elevación ligera del tronco)		— En el suelo. Reptar apoyándose en los codos.

3.1.2.1. Miembros superiores y parte alta del tronco

Grupos musculares solicitados	*Descripción o esquema de los ejercicios*	*Indicaciones para su ejecución*
Deltoides, supraespinoso, dorsal ancho, redondo mayor	● *Puños cerrados.* Elevar lentamente los brazos hasta la altura de los hombros, y luego volver a bajarlos a la misma velocidad. Este ejercicio puede efectuarse con un compañero. Cuando uno eleva, el otro opone resistencia a la subida con sus manos; 3 × 30.	— Piernas flexionadas, pelvis en anteversión para mejor protección de la espalda. — Inspirar al elevar los brazos. — Espirar al bajarlos.
	● *Puños cerrados*, pequeñas elevaciones de un brazo y luego del otro, o simultáneamente de los dos juntos; 3 × 30.	— Siempre piernas ligeramente flexionadas, con pelvis en anteversión. — Inspirar al elevar un brazo. — Espirar al elevar el otro.
	● *Manos cruzadas detrás de la espalda.* Elevar los brazos con pequeños aleteos; 3 × 30.	— Piernas ligeramente flexionadas, pelvis en anteversión. — Inspirar, con los brazos en alto. — Espirar, con los brazos abajo.

3.1.2.1. Miembros superiores y parte alta del tronco

Grupos musculares solicitados	Descripción o esquema de los ejercicios	Indicaciones para su ejecución
Trabajo del trapecio, escaleno, largo del cuello, complejo mayor y esternocleido-mastoideo	● *Fortalecimiento del tren superior, cintura escapular, espalda con aparatos*	— Colocar una pelota blanda bajo la cabeza y efectuar pequeñas flexiones y extensiones, fijando la vista en un punto del techo, y después dejar que los ojos recorran el trayecto normal. — Girar lentamente la cabeza a derecha e izquierda (conservar siempre la pelota bajo la cabeza).
Trabajo del trapecio, esternocleidomastoideo, escaleno, largo del cuello, y del complejo mayor.		— Tumbado sobre el vientre, colocar las manos en el suelo, y elevar la cabeza.

3.1.2.1. Miembros superiores y parte alta del tronco

Grupos musculares solicitados	*Descripción o esquema de los ejercicios*	*Indicaciones para su ejecución*
Complejo menor Transverso del cuello Complejo mayor Esplenio del cuello Angular del omoplato 	• *Cuello* Con la mano derecha y la izquierda. Puente sobre la nuca. 	1. La mano sirve de resistencia, el movimiento no debe ser interrumpido. 2. El mismo consejo que para el ejercicio anterior. 3. Antes de hacer el puente, efectuar una fijación de la pelvis y luego adoptar esa posición. Trabajo de mantenimiento de la posición con las manos en apoyo relativo para equilibrar la posición y proteger.
Deltoides 	Con bolas lastradas. *a.* inserción alta *b.* inserción baja *c.* deltoides posterior *d.* deltoides anterior	— *a, b, c, d:* prestar atención a la postura, espalda recta y pelvis fija.
Pectoral mayor y menor Tríceps	• *Pecho* Con bolas lastradas. *a.* Con balón medicinal Trabajo tumbado sobre la espalda, pierna elevada. *b.* Con balón medicinal. Elevación apretando las manos, piernas separadas. *c.* Con bola lastrada. Elevación con la mano separada, pierna separada 	— *b, c:* las personas débiles tienen la posibilidad de hacer las elevaciones y flexiones apoyando las rodillas y moviendo el tronco con las manos.

3.1.2.1. Miembros superiores y parte alta del tronco

Grupos musculares solicitados	Descripción o esquema de los ejercicios	Indicaciones para su ejecución
Angular del omoplato, romboides (fijador de los omoplatos)		— Espalda alineada, brazos separados.
Pectorales, serratos (gran dorsal, etc.)		— Tumbado sobre la espalda, con brazos a lo largo del cuerpo, elevar los brazos extendidos, para llevarlos a la prolongación de las manos con un bastón, y después con un tubo de metal. Describir grandes círculos horizontales, con el bastón rozando el cuerpo y el suelo.
Deltoides y tríceps		— De pie, con las piernas separadas, bastón horizontal tras nuca, agarre ancho, extender alternativamente los brazos para desplazar horizontalmente el bastón a un lado y luego al otro.

3.1.2.1. Miembros superiores y parte alta del tronco

Grupos musculares solicitados	Descripción o esquema de los ejercicios	Indicaciones para su ejecución
Todos los músculos de la zona dorsal		— De pie, con piernas separadas y extendidas, brazos extendidos verticalmente, sujetando el balón medicinal con las dos manos. — Flexionar completamente el tronco pasando el balón entre las piernas, y enderezarse luego hasta la horizontal para lanzar el balón hacia delante.
Deltoides y contracción de la espalda en isometría		— En posición tumbado sobre el vientre, bolas lastradas en cada mano, y brazos extendidos, delante del cuerpo. — Elevar los brazos (trabajo alternativo o simultáneo de brazos).
Trabajo de los deltoides, serratos y pectorales		— Tumbado de espaldas, con las piernas encogidas, brazos a lo largo del cuerpo, efectuar semicírculos con los brazos extendidos. Variante: movimiento del brazo en sentido inverso 15/20 veces.

3.1.2.1.   Miembros superiores y parte alta del tronco

Grupos musculares solicitados	Descripción o esquema de los ejercicios	Indicaciones para su ejecución
Acción del deltoides posterior		— De pie, piernas separadas, bastón horizontal detrás de la espalda.
Acción del pectoral, del tríceps y del deltoides anterior		— De pie, apoyándose con las manos en las espalderas, dejar que el esternón entre en contacto con éstas. — El cuerpo debe estar perfectamente extendido en línea diagonal, con los músculos del vientre y los lumbares contraídos.
Gran dorsal fijador de los omoplatos		Flexión hacia atrás de los brazos con bolas lastradas.
Gran dorsal fijador de los omoplatos		Flexión hacia atrás de los brazos con un bastón.

3.1.2.1.   Miembros superiores y parte alta del tronco

Grupos musculares solicitados	*Descripción o esquema de los ejercicios*	*Indicaciones para su ejecución*
Acción predominante de los pectorales		— Un banco, dos bolas lastradas. — Posición tumbado sobre la espalda, con agarre separado. — Rodillas flexionadas. — El mismo ejercicio alternando los movimientos de los brazos.
Acción predominante de los tríceps		
Acción predominante de los deltoides		— Un banco, un balón medicinal. — Posición tumbado sobre la espalda, agarre en corto y codos separados. — Rodillas flexionadas.
Acción de los miembros superiores	Espirar al realizar el esfuerzo	— Un banco, un balón medicinal. — Posición tumbado sobre la espalda, agarre en corto y codos al costado del cuerpo. — Balón medicinal en la parte baja del esternón. — Rodillas flexionadas.
Acción de los miembros superiores (deltoides, tríceps...)		
Los mismos más los dorsales		— Una bola lastrada. — En posición de pie, con los brazos semiflexionados, lanzar la bola hacia arriba y recogerla después de haber efectuado una rotación completa (360°) con el brazo. —Ejercicio rápido.
		— Dos bolas lastradas. — En posición de pie, con las piernas separadas, efectuar con los brazos extendidos pequeñas rotaciones en un sentido, y luego en el otro.
		— Dos bolas lastradas. 1. Efectuar movimientos de tijeras, con los brazos extendidos.
		2. Efectuar flexiones y extensiones de brazos.
		3. Con los brazos extendidos hacia delante, abrirlos lateralmente forzando hacia los omoplatos.

3.1.2.1.   Miembros superiores y parte alta del tronco

Grupos musculares solicitados	Descripción o esquema de los ejercicios	Indicaciones para su ejecución
Acción del trapecio, fijadores del omoplato (promontorio del hombro)		— Trabaja un hombro y el otro está bloqueado, estirar con los codos. Espirar elevando los dos hombros. — Con una bola lastrada en cada mano, estirar con los codos, manteniéndolos en la prolongación de los hombros.
Retropulsión de los brazos, deltoides posterior		— Bola lastrada o balón medicinal. — Posición con piernas extendidas y abiertas, tronco horizontal, tirar con los codos hacia atrás, sujetando un balón medicinal con las manos o una bola lastrada en cada mano (posibilidad de alternar los movimientos).
Fijadores de los omoplatos (romboides, angular del omoplato, trapecio) Acción de los antebrazos	Espalda recta 	— Bola lastrada. — La misma posición con los brazos extendidos verticalmente (sujetar una bola lastrada con cada mano). — Elevar la cabeza tirando con los codos hacia atrás. — Apretar una pelota de tenis con la mano.
Acción de los antebrazos		— Agarrar un bastón por un extremo y describir círculos.
Acción de los flexores de la mano (parte anterior del antebrazo)		— Un bastón, una cuerda, un peso. En posición de pie, y con los brazos extendidos hacia delante, ir girando el bastón con las muñecas a fin de subir el peso (subirlo y bajarlo).

3.1.2.1. Miembros superiores y parte alta del tronco

Grupos musculares solicitados	Descripción o esquema de los ejercicios	Indicaciones para su ejecución
Acción de los bíceps (Flexores del antebrazo/brazo)	• Puños cerrados, flexión del antebrazo hacia el brazo. • Posibilidad de trabajar con un compañero que retenga la flexión del antebrazo; 3 × 20. 	— Espalda apoyada. — Inspirar: cuando el brazo está extendido (abajo). — Espirar: cuando el antebrazo está flexionado hacia el brazo. — La espalda mira al suelo. — No hundir la espalda. — Inspirar: al descender. — Espirar: durante la extensión.
Acción de los tríceps (Extensores del antebrazo/brazo)	• Apoyándose sobre las manos. • Extensión de los antebrazos/brazos con el peso del cuerpo. • Manos colocadas a la altura de los hombros; 3 × 20. 	

3.1.2.1. Miembros superiores y parte alta del tronco

Grupos musculares solicitados	Descripción o esquema de los ejercicios	Indicaciones para su ejecución
Acción de los bíceps		1. En posición tumbado sobre el vientre en un banco, flexionar los antebrazos hacia los brazos sujetando un balón medicinal. 2. El mismo ejercicio en posición de pie.
Acción de los bíceps		1. En posición de pie, con los brazos apoyados sobre un soporte, flexionar el antebrazo hacia el brazo sosteniendo una bola lastrada, cambiar de brazo. 2. El mismo ejercicio a dos manos con balón medicinal.
Los mismos más los tríceps		Ejercicio de flexiones de brazos, con codos pegados al cuerpo (no doblarse, permanecer tenso). Flexión = Inspirar. Extensión = Espirar.
Acción de los bíceps		— Espalderas. — Las piernas extendidas forman un ángulo de 45° con las espalderas. Flexionar verticalmente sobre los brazos.
Acción de los tríceps		— Partiendo de una posición vertical con apoyo sobre la cabeza y las manos, enderezarse con ayuda de los brazos.
Acción de los tríceps		— Dos barras paralelas. — Fondos.
Acción de repulsión de los brazos Tríceps		— Partiendo de una posición de apoyo contra una pared, con los brazos flexionados, empujar hacia atrás con los brazos extendidos.

3.1.2.1. Miembros superiores y parte alta del tronco

Grupos musculares solicitados	*Descripción o esquema de los ejercicios*	*Indicaciones para su ejecución*
Pectoral mayor Aductor del brazo hacia el tronco, produce la rotación hacia dentro de la escápula, se fija en el húmero, y eleva el tórax.	• Flexión, extensión de los antebrazos/brazos, brazos/antebrazos. • Manos a la anchura de los hombros.	— Mantener la espalda bien recta durante el ejercicio. — Inspirar al bajar. — Espirar al subir.
Pectoral menor Tira de la escápula hacia abajo; eleva las costillas (sirve para la inspiración). Si la fijación es en las costillas, baja el omoplato.	• Elevar y descender el peso del cuerpo con ayuda de los brazos, pero sobre todo con participación de los pectorales; 2 × 20. • Aducción de los brazos hacia el tronco, puños cerrados y apretados; 3 × 20.	— Espalda apoyada en la pared. — Inspirar al abrir los brazos. — Espirar al juntar los brazos.
Serrato mayor Si fija el omoplato: Eleva las costillas (inspirador). Si fija las costillas: Tira del omoplato hacia delante y afuera, fijador del omoplato.	• Manos juntas, extendidas verticalmente al lado de la cabeza en el banco. • Llevar los brazos por encima del tórax; 3 × 20.	— Piernas flexionadas para tener buena protección de la espalda en el momento en que los brazos bajan detrás de la cabeza. — Inspiración: detrás de la cabeza. — Espiración: al llevar los brazos por encima del tórax. — Mantener siempre los brazos extendidos. Mejor expansión torácica.

3.1.2.1.   Miembros superiores y parte alta del tronco

Grupos musculares solicitados	Descripción o esquema de los ejercicios	Indicaciones para su ejecución
Análisis muscular Gran dorsal (parte posterior del deltoides, flexor del antebrazo hacia el brazo)	● Seguir el croquis del ejercicio.	— Con una pelota lastrada, tronco horizontal, pies en el suelo, rodillas rígidas o casi, espalda recta, se lleva la pelota hacia el tronco y luego se apoya en el suelo.
Gran dorsal	● Remo con bola lastrada. ● Estiramiento de un brazo después del otro.	— Con una pelota lastrada, tronco horizontal, pies en el suelo, rodillas rígidas o casi, espalda recta. — Se lleva la pelota hacia el tronco (un brazo después del otro).

3.1.2.1. Miembros superiores y parte alta del tronco

Grupos musculares solicitados	Descripción o esquema de los ejercicios	Indicaciones para su ejecución
Acción de los pectorales Acción de los dorsales (tren superior)		— **A** está tumbado sobre la espalda, con las piernas flexionadas, y los brazos extendidos detrás de la cabeza. **A** lanza el balón medicinal a **B** sin levantarse. — Efectuar los movimientos de natación «crol de espalda» en posición de pie con una bola lastrada en cada mano.
Acción del tren superior (dorsales y pectorales)		— Un balón medicinal: — En posición de pie, con los brazos extendidos hacia atrás, elevar el balón medicinal todo lo alto que sea posible.
Acción de los dorsales, deltoides, redondo mayor Acción de los dorsales		— Una bola lastrada: — En posición de pie, con brazo semiflexionado, codo hacia delante. — Extender el brazo hacia delante (movimiento vertical de arriba abajo). — En posición de pie frente a una pared, tirar de dos cintas elásticas con los brazos extendidos, alternando los movimientos de los dos brazos o estirando simultáneamente con ambos.

3.1.2.1. Miembros superiores y parte alta del tronco

Grupos musculares solicitados	Descripción o esquema de los ejercicios	Indicaciones para su ejecución
Gran dorsal Si la fijación es vertebral Deltoides/dorsal ancho, redondo mayor	• Buscar la oposición de un aparato, o de un compañero sujetándose por las muñecas. • Uno estira y el otro aguanta y a la inversa; 3 × 20. 	— Fijar bien la pelvis, los abdominales están contraídos. — Inspirar: brazos extendidos. — Espirar: brazos flexionados.
Si la fijación es braquial Elevar el tronco	• Brazos extendidos por encima de la cabeza, dedos entrecruzados. • Llevar las manos hacia detrás de la nuca tirando de los codos hacia atrás y hacia el suelo; 3 ×20.	— Flexionar ligeramente las piernas y colocar la pelvis en anteversión para proteger la espalda. — Inspirar: brazos extendidos. — Espirar: brazos detrás de la nuca.
Músculo elevador de la columna vertebral, espinosos posteriores profundos. Inclinación del tronco, con los pies sujetos.		— Se trata de hacer una inclinación con el tronco hacia delante y enderezarse al máximo.
Gran dorsal (parte posterior del deltoides, flexor del antebrazo hacia el brazo).	• *Remo* 	— Con bastón, tronco horizontal, pies en el suelo, rodillas extendidas o casi. — Espalda recta, se lleva el bastón hacia el tronco; después se apoya en el suelo.

3.1.2.1. Miembros superiores y parte alta del tronco

Grupos musculares solicitados	Descripción o esquema de los ejercicios	Indicaciones para su ejecución
Flexores y extensores del tronco: — abdominales, oblicuos — elevador columna vertebral, espinosos posteriores profundos.		— Los dos compañeros están de espaldas y se pasan la pelota o el balón medicinal por encima de la cabeza y entre las piernas (mantener la espalda recta).
		— Lanzar el balón medicinal con las dos manos lo más lejos posible (brazos flexionados o extendidos).
Deltoides, tríceps, pectorales		— En posición inicial de pie, con el balón medicinal a la altura del pecho. Lanzar con fuerza, lo más alto o lo más lejos que sea posible.
		— El balón medicinal está entre las dos piernas, el lanzamiento se efectúa con los brazos extendidos.
Extensores del tronco.		— Desde una posición de pie, lanzar con los brazos extendidos en rotación hacia la derecha, o en rotación hacia la izquierda. — Los mismos ejercicios anteriores con un solo brazo y una bola lastrada. — Lanzamiento de espalda.

3.1.2.1. Miembros superiores y parte alta del tronco

Grupos musculares solicitados	Descripción o esquema de los ejercicios	Indicaciones para su ejecución
Flexibilidad de los hombros	● Estiramiento horizontal 	— **A** está sentado con la espalda recta, las piernas juntas hacia delante y los brazos hacia atrás extendidos en el plano horizontal (paralelos al suelo). **A** contrae los músculos para llevar los brazos hacia delante. — **B** sujeta los brazos para que **A** no pueda moverlos.
	● Estiramiento horizontal 	— El mismo ejercicio, pero **A**, en lugar de llevar los brazos hacia delante, trata por el contrario de juntar sus muñecas atrás (acción opuesta).
Flexibilidad de los hombros	● Estiramiento horizontal 	— El mismo ejercicio que los anteriores, salvo que **A** cruza sus dedos detrás de la nuca y **B** ejerce resistencia sobre los codos de **A**. En vez de separar los codos, **A** los aprieta.
Flexibilidad de los hombros		— La misma posición de **A**, excepto en que sus manos están detrás de la nuca de **B**. Este tiene las manos sobre los hombros de **A** y empuja sus brazos hacia delante, mientras estira su cabeza hacia atrás. **A** estira la cabeza de **B** hacia delante.
Flexibilidad de los hombros		— Partiendo de una posición de pie, con los brazos extendidos por encima de la cabeza sujetando un bastón, bajar hacia delante, subir y volver a bajar hacia atrás (al principio, empezar este ejercicio con una separación máxima de manos, y luego reducirla progresivamente).

3.1.2.2. Miembros inferiores y parte baja del tronco

Grupos musculares solicitados	Descripción o esquema de los ejercicios	Indicaciones para su ejecución
Cuádriceps Isquiotibiales Glúteos Tríceps transversal	● Desplazamiento con «paso de gan- so» en la posición de jinete. Angulo pantorrillas/muslos de 90°.	— Cierre de la pelvis en retroversión. ● Desplazarse manteniendo siempre la pelvis a la misma altura.
	● Pelea de gallos, los adversarios se empujan en contacto mutuo con las palmas de las manos mientras saltan agachados.	— Normalmente la pelvis se sitúa auto- máticamente en retroversión.
	● Puente sobre el hombro izquierdo y derecho.	— Elevación del tronco y cierre de la pelvis. — Las manos tantean la pelvis para comprobar si la posición es correc- ta.
	● Impulso con las piernas.	— Llevar los talones hasta las nalgas e impulsarse apoyándose sobre los hombros.
Isquiotibiales Cuádriceps Tríceps transversal Glúteos	● Estirar con las pantorrillas para avan- zar.	— Fuerza con las pantorrillas y los talo- nes apoyados.

3.1.2.2. Miembros inferiores y parte baja del tronco

Grupos musculares solicitados	Descripción o esquema de los ejercicios	Indicaciones para su ejecución
Trabajo de los tobillos.		— Enrollar una cuerda alrededor de la bóveda plantar, enderezar el tronco y las piernas y estirar la cuerda con los brazos.
Trabajo de los tobillos.		— En posición de pie, flexionar una pierna de modo que el talón llegue a la parte superior de los glúteos, enrollar una cuerda en el tobillo y tirar de la cuerda desde delante.
Trabajo de los tobillos.		— En posición sentada, con la espalda recta y las piernas extendidas separadas, hacer girar los tobillos a derecha e izquierda.
Trabajo de los tobillos.		— Trabajo entre dos. — **B** tumbado sobre el vientre, con los brazos extendidos hacia delante y las piernas dobladas sobre sus muslos. **A** empuja sobre los tobillos de **B**.
Trabajo de los tobillos.		— Apoyarse en una pared, en posición de pie, sobre la punta de los pies.
Trabajo de los cuádriceps (piernas y muslos).		— Desde una posición agachada, extender una pierna hacia delante, cambiando la pierna de apoyo.

3.1.2.2. Miembros inferiores y parte baja del tronco

Grupos musculares solicitados	Descripción o esquema de los ejercicios	Indicaciones para su ejecución
Trabajo de los flexores de los pies.		— Frente a una espaldera: trabar los pies en el último barrote, dejarse caer ligeramente hacia atrás, volver a enderezarse con la fuerza de los flexores de los pies sobre las piernas.
Trabajo de los gemelos.		— Un balón medicinal: en posición de pie, con un balón medicinal en las manos, proceder a realizar extensiones elevando los talones del suelo.
Trabajo de los gemelos.		— Dos compañeros: **A** está «a caballo» sobre **B**. **B** levanta los talones del suelo.
Trabajo de los gemelos.		— Un balón medicinal: en posición sentada sobre un banco, con un balón medicinal sobre los muslos, levantar los talones del suelo.
Trabajo de los gemelos.		— Una maza; en posición sentada sobre un banco con una maza sobre los muslos, separar los talones del suelo para elevar la maza.

3.1.2.2. Miembros inferiores y parte baja del tronco

Grupos musculares solicitados	Descripción o esquema de los ejercicios	Indicaciones para su ejecución
Trabajo de los extensores de las piernas		— Espalderas: en posición de pie frente a las espalderas, con manos detrás de la nuca, flexionar la pierna derecha (espalda recta) y enderezarse, repetir con la otra pierna.
Trabajo de los extensores de las piernas		— En posición de pie de espaldas a las espalderas (ver dibujo), efectuar flexiones y extensiones con la pierna de apoyo, repetir con la otra pierna.
Trabajo de los extensores de las piernas		— En posición de pie, de costado a las espalderas, brazos en la nuca, realizar flexiones y extensiones con la pierna de apoyo.

3.1.2.2. Miembros inferiores y parte baja del tronco

Grupos musculares solicitados	Descripción o esquema de los ejercicios	Indicaciones para su ejecución
Trabajo de los tobillos y de los gemelos (mejoramiento de la flexión plantar).	Peso	— Desde una posición sentada sobre las caderas, elevar las rodillas y apoyar el peso del cuerpo sobre los tobillos (10 veces, conservando los apoyos).
Trabajo de los gemelos y tobillos.	Plano inclinado	— Inclinarse hacia delante para tocar la punta de los pies con las manos, doblar ligeramente las rodillas y cargar el peso del cuerpo hacia delante para estirar el tendón de Aquiles y los gemelos.
Trabajo de los gemelos y tobillos.		— El mismo ejercicio con los pies planos sobre el plano inclinado.
Trabajo de los gemelos y tobillos.	Al principio el talón está elevado	— Apoyarse contra una pared (los pies a un metro aproximadamente de la pared), inclinarse hacia delante y colocar un pie a medio camino entre la pared y el pie más atrasado. Impulsar, el talón elevado de la pierna posterior contra el suelo.
Trabajo de los gemelos y tobillos.		— El mismo ejercicio, con las dos piernas paralelas. Movimientos rápidos alternados de estiramiento de los tobillos.
Trabajo del tronco.		— Desde una posición tumbada sobre la espalda, con los brazos perpendiculares al tronco y sobre el suelo, piernas flexionadas, llevar los muslos a tocar alternativamente el suelo por los costados derecho e izquierdo.
Trabajo del tronco.		— Sentado en el suelo, piernas extendidas en escuadra con el tronco.

3.1.2.2.   Miembros inferiores y parte baja del tronco

Grupos musculares solicitados	Descripción o esquema de los ejercicios	Indicaciones para su ejecución
Cuádriceps		— Un banco, un balón medicinal, un pie en el banco y el otro en el suelo: cambiar simultáneamente la posición de los dos pies manteniendo siempre el balón medicinal tras la nuca.
Cuádriceps		— Un banco, un balón medicinal: desde una posición de pie delante de un banco, con balón medicinal tras la nuca, saltar al banco con los pies juntos.
Cuádriceps		— Un balón medicinal: desde una posición agachada, con el balón medicinal a nivel de las rodillas, efectuar saltos en extensión hacia delante, con los brazos extendidos en la prolongación del cuerpo, y volver a la posición inicial.

3.1.2.2.   Miembros inferiores y parte baja del tronco

Grupos musculares solicitados	Descripción o esquema de los ejercicios	Indicaciones para su ejecución
Cuádriceps (trabajo dinámico)	Espalda recta	— Un balón medicinal: desde una posición de pie, con las piernas separadas (rodillas en el eje de los pies), codos hacia delante, descender hasta una posición agachada, con los talones pegados al suelo.
Cuádriceps (trabajo estático)	90°	— Sentarse en posición de «silla» contra una pared, las manos sobre los muslos. Series de 1 o 2 minutos.
Cuádriceps		— Un balón medicinal o bola lastrada, un banco: a partir de una posición sentada, el balón medicinal sujeto entre los dos talones, elevar las piernas hasta la posición horizontal.
Isquiotibiales		— Un banco, un balón medicinal o una bola lastrada:
		— En posición tumbada sobre el vientre, el balón sujeto entre los dos talones, mover las pantorrillas hacia los muslos.
Isquiotibiales (dinámico) y glúteo mayor (estático)		— Un banco: sujetarse con apoyo fijo y mover el tronco con relación a los muslos, manos en la nuca.
	Espirar durante el esfuerzo — Espirar muy fuerte durante el esfuerzo. Apoyo sujeto.	— Ejercicio de tipo estático (posición horizontal) o dinámico.
Isquiotibiales y glúteo mayor		— El mismo ejercicio con un balón medicinal tras la nuca (estático o dinámico).
Cuádriceps		— Balón medicinal: tumbado sobre la espalda, extensión de pantorrillas-muslos (espirar).
		— Flexión pantorrillas-muslos (inspirar).

3.1.2.2. Miembros inferiores y parte baja del tronco

Grupos musculares solicitados	Descripción o esquema de los ejercicios	Indicaciones para su ejecución
Cuádriceps (tren inferior en general). El mismo ejercicio con las piernas extendidas. El mismo ejercicio con las piernas extendidas y agachado en la recepción.		— Un bastón, pequeñas vallas: Desde una posición extendida, con los pies ligeramente separados, la espalda recta y los brazos extendidos sujetando un bastón, franquear los obstáculos, marcando un tiempo de parada entre cada salto, o encadenando los saltos (piernas flexionadas).
Trabajo del tren inferior.		— Con balón medicinal: Sujetar un balón medicinal entre los tobillos y franquear los obstáculos con saltos encadenados o marcando un tiempo de parada.
Trabajo de las piernas.		— Trabajo entre dos personas y un balón medicinal: Sujetar el balón medicinal entre los dos tobillos, y lanzarlo al compañero lo más alto o lo más lejos posible.
Trabajo de las piernas (aducción del tren inferior).		— Un balón medicinal: Desde una posición de pie, saltar sobre el propio terreno flexionando las piernas «talones-glúteos» con el balón medicinal entre los tobillos (encadenar los saltos o no).

3.1.2.2. Miembros inferiores y parte baja del tronco

Grupos musculares solicitados	Descripción o esquema de los ejercicios	Indicaciones para su ejecución
Cuádriceps Isquiotibiales Glúteos		— Piernas 1. Flexión de piernas completa con bastón o balón medicinal (con variación de contracción) preponderantemente glúteos. 2. Sentadilla libre (cuádriceps, glúteos) De 80 a 100° de ángulo pantorrilla/muslo. 3. «Split» o tijeras hacia delante (con bastón), cambiar de pierna (cuádriceps). 4. Con balón medicinal entre las piernas (isquiotibiales). Acabar la sesión con técnicas de respiración y de relajación.

3.1.2.2. Miembros inferiores y parte baja del tronco

Grupos musculares solicitados	Descripción o esquema de los ejercicios	Indicaciones para su ejecución
Abdominales y glúteos	Equilibrio	— Un bastón: desde una posición apoyada sobre los glúteos, agarrar un bastón y pasarlo por encima y por debajo de las piernas sin que éstas toquen el suelo (el bastón no debe tocar los pies).
Musculación del tronco (abdominales, oblicuos)		— Un balón medicinal: desde una posición sentada, piernas en extensión, el balón medicinal situado detrás de la espalda, efectuar una rotación del tronco hacia la izquierda, agarrar el balón medicinal y volverlo a colocar pasando por la posición inicial, después hacia la derecha y así sucesivamente.
Trabajo de los miembros inferiores		— Un bastón: bastón horizontal, brazos bajos, dar un bote sobre el terreno y luego saltar por encima del bastón (flexión de las piernas, botar sobre el terreno y saltar hacia atrás por encima del bastón).
Trabajo de los miembros inferiores (cuádriceps)		— Un balón medicinal: desde una posición de pie, el balón medicinal levantado verticalmente, bajarlo (con los brazos extendidos) y elevar la pierna izquierda en el aire (la punta del pie toca el balón), regreso a la posición inicial. — Repetir con la pierna derecha.

3.1.2.2. Miembros inferiores y parte baja del tronco

Grupos musculares solicitados	Descripción o esquema de los ejercicios	Indicaciones para su ejecución
Glúteo mayor y cuádriceps		— Una bola lastrada, un balón medicinal: Sostener el balón medicinal apretado entre los dos talones, con las piernas flexionadas en posición de partida, y después: extender las piernas y flexionar de nuevo controlando el descenso.
Lumbares		— Un balón medicinal: Desde una posición sentada en un banco, balón medicinal tras la nuca, piernas extendidas, descender el tronco y volver a subirlo a la posición inicial.
Glúteo		— Un bastón: Desde una posición de pie, piernas separadas, un bastón sobre los hombros, flexionar una pierna sin despegar los talones y subirla. Cambiar de pierna.
Isquiotibiales y glúteo mayor		— Una cinta elástica (atada a un plano vertical a nivel de los tobillos): desde una posición de pie frente a una pared, extender hacia atrás la pierna, más o menos lejos según la tensión de la cinta elástica.

3.1.2.2. Miembros inferiores y parte baja del tronco

Grupos musculares solicitados	Descripción o esquema de los ejercicios	Indicaciones para su ejecución
Recto mayor inferior (flexión de la cadera) Posición de partida en decúbito dorsal (cadera y rodillas flexionadas) Encogimiento C.L. (columna lumbar) Extensión Encogimiento C.L. + C.D. (columna dorsal) Extensión El mismo movimiento con las piernas separadas		Limitación del trabajo del psoas-ilíaco/recto anterior, etc. Apoyo C.L. más C.D. Apoyo C. cervical
Hiperextensión de la espalda Estiramiento abdominal Espalda arqueada	● *Estiramiento de la zona abdominal* Constante: los pies permanecen en el suelo durante todo el ejercicio. Espalda arqueada a b	

3.1.2.2. Miembros inferiores y parte baja del tronco

Grupos musculares solicitados	*Descripción o esquema de los ejercicios*	*Indicaciones para su ejecución*
Transverso	• De rodillas, con las manos apoyadas en el suelo al frente. • Contraer los abdominales entrando el vientre, y después relajarse; 3 × 20. 	— Espalda recta.
Lumbares	• De pie, con un bastón en la nuca o sencillamente con las manos cruzadas. • Flexión del tronco hasta que quede paralelo con el suelo, y luego volver a la posición de espalda recta inicial; 3 × 20. 	— Inspirar: al entrar el vientre. — Espirar: al relajarse. — Mantener una posición con la espalda recta. — Inspirar en posición erguida. — Espirar al flexionar el tronco.
Trabajo de los lumbares Inclinar la columna lumbar si el punto fijo es la pelvis. Inclinar la pelvis si el punto fijo es vertebral.	• Posición tumbada sobre el vientre, manos cruzadas detrás de la cabeza. • Elevar el pecho y volver a la posición inicial; 3 × 20. 	— Despegar solamente los hombros y el pecho, pues si no, se ahueca la espalda, lo que puede resultar peligroso, si se apura demasiado. — Inspirar al elevar el pecho. — Espirar al volver al suelo.

3.1.2.2. Miembros inferiores y parte baja del tronco

Grupos musculares solicitados	Descripción o esquema de los ejercicios	Indicaciones para su ejecución
Contracción de los abdominales		— Posición de partida, tumbado sobre la espalda, con las pantorrillas encima de un banco: Enderezarse, con manos en la nuca y espalda recta. Espirar fuerte durante la contracción.
Transverso, recto mayor	Encoger una vértebra tras otra y espirar lentamente durante la contracción.	— Una bola lastrada: Desde la posición de pie inclinar transversalmente el tronco (la bola a nivel de la rodilla) Bloquear las caderas, y después cambiar de brazo.
Acción de los oblicuos opuestos al brazo portador	Espirar durante todo el ejercicio	— Espalderas, colchonetas: 1. Desde una posición estirada con espalda recta, enderezarse hasta una posición cuya característica sea un ángulo de 90° aproximadamente entre el tronco y las piernas (muslos). 2. El mismo ejercicio con rotación del tronco.
Abdominales	Apoyo sujeto	— Espalderas: 1. Colgados de las espalderas, con las piernas flexionadas llevarlas hasta el pecho y controlar el descenso. 2. El mismo ejercicio con las piernas extendidas.
Abdominales más psoas-ilíaco		— Desde una posición tumbada: Brazos a lo largo del cuerpo, llevar lentamente las rodillas hasta el pecho. Espirar durante la contracción.
Abdominales más psoas-ilíaco		— Desde una posición tumbada: Enderezar al mismo tiempo tronco y piernas espirando muy fuerte. — Puede efectuarse con los brazos y las piernas extendidos.
Abdominales y glúteos Contracción de abdominales y glúteos		1. Con las dos piernas separadas, mantenerse en equilibrio (estático). 2. En la misma posición, rotación del tronco a izquierda o a derecha con extensión lateral de los brazos.

3.1.2.2. Miembros inferiores y parte baja del tronco

Grupos musculares solicitados	Descripción o esquema de los ejercicios	Indicaciones para su ejecución
Trabajo de los abdominales (recto mayor superior e inferior)		— Un bastón: Tumbados sobre la espalda, brazos extendidos por encima de la cabeza sujetando un bastón, elevar el tronco con las piernas flexionadas para llevar el bastón por encima (o detrás) de las rodillas. — Inspirar muy fuerte durante la extensión completa del cuerpo.
Trabajo de los abdominales (recto mayor).		— Trabajo entre dos con un balón medicinal: Los dos compañeros están tumbados sobre la espalda, con las piernas flexionadas, se elevan a la vez y se pasan el balón medicinal. — Enderezarse espirando fuerte.

3.1.2.2.   Miembros inferiores y parte baja del tronco

Grupos musculares solicitados	Descripción o esquema de los ejercicios	Indicaciones para su ejecución
Trabajo de la porción superior de la zona abdominal. Flexiones anteriores del tronco (posición de partida en decúbito dorsal con piernas encogidas, cadera y rodillas flexionadas). Posición de partida, posición de reposo. Esta posición permite colocar en cada repetición la columna vertebral en apoyo total en el suelo (C.C. más C.E. más C.L.). Manos en la nuca. Contracción de la columna cervical (C.C.). C.D. más C.L. → apoyadas en el suelo más extensión.		— Exploración y movilidad de la C.C. más trabajo abdominal.
Manos extendidas hacia delante. Encogimiento C.D. más C.C. seguido de extensión.		— Exploración y movilidad de la C.C. más C.D. (estiramiento) más trabajo abdominal.
Manos extendidas hacia delante. Contracción más extensión. C.C. más C.D. más C.L. = C.V.T. (columna vertebral total).		— Exploración y movilidad de la columna vertebral en su conjunto más trabajo abdominal. — Trabajo combinado más importante; expansión torácica más trabajo abdominal más estiramiento antagonista.
Posición de partida: manos en la prolongación del cuerpo. Brazos/hombros más C.V. en contacto con el suelo. Los brazos efectúan un desplazamiento de 180° más contracción y extensión vertebral. Decúbito dorsal (cadera y rodillas flexionadas), la columna en contacto total con el suelo.		— Trabajo de oscilación de la pelvis → mejor actitud antilordosis → cifosis lumbar más trabajo muscular abdominal más estiramiento de los antagonistas.

3.1.2.2. Miembros inferiores y parte baja del tronco

Grupos musculares solicitados	Descripción o esquema de los ejercicios	Indicaciones para su ejecución
Lumbares	Con bastón, y después con peso (balón medicinal).	— Trabajo con la espalda recta y las piernas separadas, ligeramente flexionadas para permitir una mejor alineación lumbar.
Oblicuos	● *Oblicuos: El péndulo*	a) Con bastón, y después con balón medicinal tras la nuca, o brazos extendidos.
Recto mayor superior Recto mayor inferior en las espalderas (piernas extendidas, o flexionadas) 		b) Inclinado hacia delante con bastón, rotación ligera y rápida. — Mantener bien la espalda y no bajar las piernas a fondo, esto evita la posición susceptible de producir una lordosis.
Recto mayor superior (con bastón o balón medicinal).		— El desplazamiento debe ser corto para no afectar a los lumbares.

	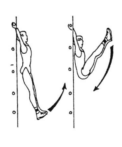	

3.1.2.2. Miembros inferiores y parte baja del tronco

Grupos musculares solicitados	Descripción o esquema de los ejercicios	Indicaciones para su ejecución
Recto mayor	Elevar el tronco para aproximar el esternón al pubis, 3 × 30. 	— Manos al lado del cuello. — Espalda arqueada. — Inspirar al aproximar el esternón al pubis.
	Elevar las piernas, agarrándose con las manos a un banco, por ejemplo, 3 × 30. 	— Mantener flexionadas las piernas para evitar hundir la espalda.
Oblicuos	Flexiones laterales. 	— Inspirar: cuando las piernas están lejos del cuerpo. — Espirar: cuando el cuerpo se acerca a ellas. — Contraer bien los abdominales, espalda bien recta. — Inspirar desde un lado. — Espirar desde el otro.
Oblicuos	Sentado en una silla con un bastón sobre los hombros. Rotación moderada del tronco. 	— Espalda apoyada. — Pies apoyados. — Inspirar desde un lado. — Espirar desde el otro.

3.1.2.2. Miembros inferiores y parte baja del tronco

Grupos musculares solicitados	Descripción o esquema de los ejercicios	Indicaciones para su ejecución
Recto mayor inferior y superior Sinérgicamente: oblicuos, transverso abdominal, psoas-ilíaco	Pierna izquierda Pierna derecha	— Los principiantes pueden hacerlo apoyando los codos, y los veteranos apoyando las manos.
Recto mayor (trabajo prioritario del inferior) Psoas-ilíaco al principio del ejercicio		— Los atletas confirmados pueden hacerlo con las dos piernas a la vez.
Recto mayor (superior) Sinérgicamente: oblicuos mayores y menores.		— Ejercicio para principiantes, toma de conciencia de la cintura pélvica de la respiración.
Recto mayor superior		— Las manos pueden colocarse detrás de la cabeza o en el pecho para una serie larga.

3.1.2.2. Miembros inferiores y parte baja del tronco

Grupos musculares solicitados	Descripción o esquema de los ejercicios	Indicaciones para su ejecución
Oblicuo mayor, oblicuo menor, sacro-lumbar.		— Ejercicios fáciles a simple vista, que pueden servir de calentamiento para atletas confirmados, utilizando pesas.
Oblicuo mayor, oblicuo menor.		— Puede hacerse con las rodillas flexionadas. Procurar no descender demasiado bajo, para que no se resientan las vértebras lumbares.
Recto mayor (y sobre todo el inferior), psoas-ilíaco.		— Variante: oscilaciones pequeñas y grandes, bicicleta, tijeras pequeñas y grandes, hacia los codos, hacia las manos (susceptible de producir lordosis).
Recto mayor (superior e inferior), oblicuo menor, oblicuo mayor.		— Tocar las rodillas con los codos alternativamente, o los dos codos con las dos rodillas.

3.1.2.2. Miembros inferiores y parte baja del tronco

Grupos musculares solicitados	Descripción o esquema de los ejercicios	Indicaciones para su ejecución
Oblicuos	Sujetarse firmemente al banco	— Desde una posición tumbada sobre el costado: efectuar rotaciones frontales del tronco, tal como indica el dibujo.
Oblicuos		— Desde una posición sentada «a caballo» sobre un banco: Efectuar rotaciones del tronco hacia la derecha, y luego hacia la izquierda, con un bastón en la prolongación de los hombros. Espirar en el momento de las rotaciones.
Oblicuos		— Desde una posición de pie (piernas semiseparadas): Descender lateralmente el tronco a un lado y luego al otro, con un bastón sobre los hombros.
		— Posición inicial: inspiración.
		— Posición lateral: espiración.
Lumbares		— Un balón medicinal: Desde una posición agachada, con los dos brazos sujetando un balón medicinal entre las piernas, estirarse hasta una posición vertical, con los brazos extendidos por encima de la cabeza.
Lumbares		— Un balón medicinal: Desde una posición de pie, con un balón medicinal tras la nuca, bajar el cuerpo hacia delante y volver a subirlo hasta la posición inicial.
Lumbares		— Desde una posición de pie sobre un banco: Descender el cuerpo hacia delante todo lo bajo que sea posible y volver a subir hasta la posición inicial.

3.1.2.2.   Miembros inferiores y parte baja del tronco

Grupos musculares solicitados	Descripción o esquema de los ejercicios	Indicaciones para su ejecución
Músculos de los canales vertebrales dorso-lumbares, elevador de la espalda.		— La pelota lastrada está entre los muslos, y el tronco horizontal. Miembros inferiores flexionados. — El objetivo del ejercicio es estirarse llevando la pelota por encima de la cabeza, con los brazos extendidos.
Músculos de los canales vertebrales dorso-lumbares, elevador de la espalda.		— Pelota lastrada colocada en el suelo, se la sujeta con las manos, para estirarse después; miembros inferiores flexionados.
Músculos de los canales vertebrales dorso-lumbares, elevador de la espalda.	● *Croquis del ejercicio*	— Flexión y extensión del tronco, con bastón tras la nuca, a partir de la posición del pie.
Músculos de los canales vertebrales lumbares-dorsales, elevador de la espalda.		— En posición prono, pies sujetos firmemente al suelo. Brazos a lo largo del cuerpo, agarrando dos bolas lastradas. — Enderezar la cabeza y elevar el tronco llevando las bolas todo lo alto que sea posible.

3.2. EJERCICIOS DE MUSCULACION DIRIGIDOS A LA MEJORA DEL RENDIMIENTO

3.2.1. FUTBOL

Grupos musculares solicitados	Descripción o esquema de los ejercicios	Indicaciones para su ejecución
Cuádriceps Glúteos	● *Mejora del chut y de la «detente» vertical*	— Verificar que el ejecutante pueda agacharse sin elevar los talones. En caso de que no pueda ejecutar correctamente el movimiento, colocar un zócalo debajo de los talones. — Posición de partida: Colocarse bajo la barra. Barra sobre los trapecios. Pies separados según anchura de la pelvis. — Espalda recta. Mirar al frente. Agarrar la barra con una separación como el ancho de los hombros. Extender las piernas, levantar la carga. — Inspirar durante el descenso (bajar lentamente procurando siempre controlar la carga). — Espirar durante la subida.
Hay que observar que, durante este ejercicio, también se realiza: — un *trabajo estático* de los *abdominales-lumbares y posición de la pelvis.* — un *trabajo de los fijadores de omoplatos y posición de la espalda.*		

3.2.1. FUTBOL

Grupos musculares solicitados	Descripción o esquema de los ejercicios	Indicaciones para su ejecución
Cuádriceps — recto anterior — vasto interno — vasto externo — crural	● Flexión-extensión con un balón medicinal 	— Tumbado sobre la espalda, ángulo tronco-muslos 90°, ángulo muslos-pantorrillas 90°: Extensión pantorrillas/muslos, espirando. Flexión pantorrillas/muslos soportando la carga e inspirando.
Isquiotibiales: — semitendinosos — semimembranosos — bíceps crural o femoral — aductores, glúteos menores y mayores	● Extensión muslo-pelvis con calzado lastrado 	— De pie, con la pelvis en retroversión: Extensión muslos/pelvis, espirando. Inspirar al volver, aguantando la carga.
Hay que observar que, durante este ejercicio, también se realiza un trabajo estático de los abdominales-lumbares y posición de la pelvis en retroversión. Comprobar que, durante este ejercicio, también se efectúa un trabajo estático de los glúteos menores y mayores.	● Flexión-extensión pantorrilla-muslo con calzado lastrado 	— De rodillas, con las manos apoyadas en el suelo: Flexión pantorrilla/muslo, soplando. Extensión pantorrilla/muslo, inspirando. Cabeza alineada como prolongación del cuerpo.
Trabajo estático de los abdominales-lumbares	● *Extensión muslo-pelvis con calzado lastrado* 	— De rodillas, con las manos apoyadas en el suelo: Extensión muslo/pelvis, espirando. — Iguales observaciones que en el ejercicio anterior.

3.2.1. FUTBOL

Grupos musculares solicitados	Descripción o esquema de los ejercicios	Indicaciones para su ejecución
Abdominales Recto mayor del abdomen	● *Elevación del tronco (flexión tronco sobre muslos, parte fija de éstos)* 	— Banco inclinado enganchado a una espaldera. — Espirar durante la flexión. — Aguantar el descenso del tronco, inspirando. — Colocar las manos sobre los hombros.
Hay que observar que, en este ejercicio, la parte más solicitada es la parte inferior del recto mayor.	● *Flexión pelvis-tronco* 	— Angulo muslos/pelvis 90°. — Pies planos sobre el banco. — Flexión muslos/pelvis, espirando. — Aguantar el descenso, inspirando.
Abdominales Oblicuos mayor y menor Trabajo de los abdominales-lumbares, colocando la pelvis en retroversión.	● *Rotación del tronco* 	— Colocación de la pelvis en retroversión. — Mirar recto al frente. — Espirar una vez de cada dos.

3.2.1. FUTBOL

Grupos musculares solicitados	Descripción o esquema de los ejercicios	Indicaciones para su ejecución
Hay que observar que durante este ejercicio se efectúa también: — un *trabajo estático* de los abdominales-lumbares con colocación de la pelvis.	● *Flexiones laterales del tronco* 	— Colocar la pelvis en retroversión. — Flexiones laterales. — Espirar al subir.
Fijadores de los omoplatos — Romboides — Angular — Trapecio medio — Trapecio inferior	● *Mejora del movimiento de cabeza* ● *Estiramiento* 	— Cabeza alineada con el cuerpo. — Espalda recta. — Abducción de los brazos, tirando los codos hacia atrás. — Espirar al subir los codos.
Trapecio *Fijadores de los omoplatos* — Trabajo estático de los abdominales-lumbares y colocación de la pelvis	● *Elevación del extremo de los hombros* 	— Espirar al bajar los hombros.

3.2.2.   BALONMANO

Grupos musculares solicitados	Descripción o esquema de los ejercicios	Indicaciones para su ejecución
Pectorales Tríceps Deltoides Trabajo de los pectorales con rotación interna en el curso del movimiento.	● *Musculación deportiva para el balonmano* ● *Extremidades superiores. Mejora del tiro* ● *Extensión antebrazo/brazo*	— Balón medicinal. — Espalda apoyada en la pared y piernas flexionadas para evitar la hiperlordosis lumbar. — Espirar al efectuar la extensión.
Deltoides anteriores Tríceps	● *Extensión antebrazo/brazo*	— Espalda apoyada y piernas flexionadas. — Brazos separados, hombros paralelos al suelo. — Espirar al efectuar la extensión.
Oblicuos (mayores y menores) Fijadores del omoplato Deltoides Tríceps Pectorales Trabajo estático de los abdominales-lumbares para la colocación de la pelvis	● *Lanzamiento con un brazo*	— Pie izquierdo avanzado en cuña, lanzar con el brazo derecho. — Utilizar cinturón abdominal. — Espirar al efectuar la extensión.

3.2.2. BALONMANO

Grupos musculares solicitados	Descripción o esquema de los ejercicios	Indicaciones para su ejecución
Cuádriceps Glúteos isquiotibiales Tríceps sural	• *Extremidades inferiores: mejora de los desplazamientos* • *Saltos a la pata coja* • Con el pie izquierdo, y luego alternar con el derecho.	— Búsqueda del impulso máximo en altura. — Trabajo estático de los abdominales-lumbares (mantenimiento de la posición). — *Espirar en la recepción*
	• *Agachado más salto vertical*	— Igual que en el ejercicio anterior.
Hay que observar que en este ejercicio el trabajo de los músculos *de las extremidades inferiores* (cuádriceps, glúteos, isquiotibiales, tríceps sural) es más importante, pues el peso del cuerpo reposa solamente sobre una pierna cada vez	• *Salto vertical sobre un pie* • Con la pierna izquierda, y después con la derecha, y después alternando.	— Igual que en el ejercicio anterior. — Espirar en la recepción.
Glúteos medios Aductores Tríceps sural Trabajo de los abdominales-lumbares con colocación de la pelvis	• *Elasticidad vertical: lanzamientos de balón medicinal entre dos ejecutantes*	— Búsqueda de la verticalidad. — Espirar en la recepción.

3.2.2. BALONMANO

Grupos musculares solicitados	Descripción o esquema de los ejercicios	Indicaciones para su ejecución
Tríceps sural Extensores pantorrilla/muslo y muslo/pelvis Deltoides (anterior) Trapecio Serrato mayor Hay que observar que durante este ejercicio hay también: — Un trabajo estático de los abdominales-lumbares con colocación de la pelvis.	● *Mejora de la posición vertical* 1. *Impulsión vertical* 	— Con saco de arena. — Mantenimiento de la postura durante el ejercicio, permitiendo transmitir la energía de las extremidades inferiores al tren superior. — Espirar al efectuar la recepción.
— Trabajo estático de los abdominales-lumbares con colocación de la pelvis.	2. *Impulsión vertical* 	— Lo mismo que en el ejercicio anterior.

3.2.3. NATACION

Grupos musculares solicitados	Descripción o esquema de los ejercicios	Indicaciones para su ejecución
Isquiotibial Glúteo mayor	● *Musculación deportiva para un nadador* 	— Con una cinta elástica. — Fijar los abdominales y los lumbares. — Espirar al tirar la pierna hacia atrás.
Abdominales		— Espirar al subir hacia las rodillas.
Tríceps Deltoides posterior	● *Extensión del antebrazo/brazo* 	— Tumbado sobre el pecho en el banco. — Pelvis sobre el banco. — Posición de partida: Sujetar la cinta elástica con los antebrazos flexionados con respecto a los brazos. — Posición final: Estirar la cinta elástica hacia atrás. Extensión del antebrazo/brazo. — Respiración: Inspirar en la posición de partida, espirar hasta la posición final.
Pectoral mayor	● *Aducción del brazo/tronco* 	— Con cinta elástica. — Tronco ligeramente inclinado hacia delante, espalda recta. — Acercar los brazos extendidos. — Espirar al acercar los brazos.

3.2.3. NATACION

Grupos musculares solicitados	Descripción o esquema de los ejercicios	Indicaciones para su ejecución
Cuádriceps	● *Extensión de pantorrilla/muslo*	— Espalda apoyada para no producir lordosis a nivel de los lumbares. — Inspirar: al subir el peso o la cinta elástica.
Cuádriceps	● *Extensión de pantorrilla/muslo*	— La articulación de la rodilla fuera del banco. — Espirar: al bajar las piernas.
Deltoides posterior	● *Retropulsión*	— Espalda recta. — Espirar al subir el bastón. — Mantener la cabeza alineada con el cuerpo.
Gran dorsal Fijadores de los omoplatos Deltoides posterior Flexores del brazo		— Espalda recta, piernas en «paréntesis» para evitar la lordosis a nivel lumbar. — Espirar: cuando los brazos están extendidos, como en la posición que aparece a la izquierda del grabado.

3.2.3. NATACION

Grupos musculares solicitados	Descripción o esquema de los ejercicios	Indicaciones para su ejecución
«Pull over» educativo con balón medicinal. El compañero o compañera sostiene con sus piernas la espalda del ejecutante. Trabajo del gran dorsal en amplitud, caja torácica, recuperación de la deuda de oxígeno. Trabajo ligero del pectoral mayor.		— Ejercicio para realizar al final del entrenamiento; el mejor para recuperar la deuda de oxígeno, seguridad de la posición gracias a las piernas del compañero. — Reforzamiento muscular y flexibilidad.
Trabajo ligero del pectoral mayor.		— Reforzamiento muscular y flexibilidad. — Importante: la respiración fisiológica.
Principalmente el gran dorsal. Pectoral mayor en sinergia. Lumbar (isométrico).		— A tener en cuenta por las personas que sufran de lordosis: No efectuar una elevación demasiado exagerada de las extremidades superiores para no perjudicar la zona lumbar. Ejecutar lentamente los movimientos.
Pectoral mayor Gran dorsal (concéntrico) Redondo mayor Brazos (isométrico) Antebrazos		— Movimiento de musculación deportiva para el nadador. — Realizarlo tumbado boca abajo sobre un banco. *Material:* — Dos cintas elásticas. — Movimiento de braza o de mariposa.
Deltoides posterior Preparación para la fase de propulsión de los brazos en crol.	Máximo	— Mantener el brazo extendido. — La retropulsión es corta. — El tronco no se inclina nunca hacia delante. — Movimiento breve y rápido.

3.3. EJERCICIOS DE MUSCULACION EMPLEADOS EN LA PRACTICA DEL CULTURISMO

3.3.1. MUSCULACION SIN APARATOS

3.3.1.1. Miembros superiores y parte alta del tronco

Grupos musculares solicitados	Descripción o esquema de los ejercicios	Indicaciones para su ejecución
Los músculos extensores del cuello (región posterior)		— Llevar la cabeza lo más alto posible hacia atrás, y después bajarla de nuevo hacia delante.
Músculos del cuello (músculos flexores laterales)		— Elevar la cabeza lateralmente todo lo alto que sea posible, y después bajarla. — El mismo ejercicio sobre el otro costado. — El mismo ejercicio sobre un plano inclinado.
Parte anterior del cuello, músculos flexores: esternocleidomastoideo, super y subhioideo recto anterior mayor y menor de la cabeza, escaleno.		— Elevar la cabeza por medio de una contracción lenta del mentón sobre el pecho y volver a la posición de partida, con la cabeza bien extendida hacia atrás.
Desarrollo de los músculos del cuello.		— Flexionar la cabeza de modo que se coloque la parte alta del cráneo sobre la colchoneta.

3.3.1.1. Miembros superiores y parte alta del tronco

Grupos musculares solicitados	Descripción o esquema de los ejercicios	Indicaciones para su ejecución
Músculos del cuello, región posterior		— Enderezar la cabeza separando la espalda del suelo, en posición de puente, elevar la barra por encima de la cabeza, y volver a situar la barra sobre el pecho.
Músculos del cuello, región posterior		— Enderezar la cabeza separando la espalda del suelo. La barra por detrás de la cabeza. Llevarla luego sobre el vientre.
Trapecio y deltoides		— Giro de los hombros en un sentido y después en el contrario.
Trapecio y deltoides		— Con una haltera o dos mancuernas cortas, describir pequeños círculos con los hombros en un sentido, y luego en el contrario.

3.3.1.1. Miembros superiores y parte alta del tronco

Grupos musculares solicitados	*Descripción o esquema de los ejercicios*	*Indicaciones para su ejecución*
Deltoides (región externa y posterior) Trapecios		— De pie con las piernas separadas, sostener con un brazo una barra cargada, colocada delante de los muslos. Elevar la barra lo más alto posible por delante del pecho, y luego volver a la posición de partida.
Deltoides (región externa)		— De pie con las piernas separadas; con una mancuerna corta cargada. Elevar la mancuerna todo lo alto que sea posible a lo largo del cuerpo.
Deltoides (externo y anterior) y músculos de los brazos (tríceps)		— Elevar la barra por encima de la cabeza, y después bajarla por delante del pecho:
		1. Ejecutarlo con las manos muy juntas, para el deltoides anterior.
		2. Con las manos separadas, para el deltoides externo.
Deltoides-tríceps		3. Con las manos en supinación para el deltoides anterior
		— Sentado sobre un banco, manos en pronación separadas normalmente sobre la barra.
Región externa de los deltoides y músculos tríceps.		— Elevar la barra tras nuca.
Región externa de los deltoides y tríceps. Sin embargo, evitar arquearse en estos ejercicios de elevaciones.		— Sentado sobre un banco, barra tras nuca, manos separadas.

3.3.1.1.   Miembros superiores y parte alta del tronco

Grupos musculares solicitados	Descripción o esquema de los ejercicios	Indicaciones para su ejecución
Segmento anterior y externo del deltoides y músculos pectorales		— Dos mancuernas, manos en pronación y elevar alternativamente los brazos extendidos por encima de la cabeza.
Deltoides, parte anterior		— Pasar de la posición horizontal a la posición vertical. — Repetir el ejercicio con las manos en supinación. — Repetirlo utilizando dos mancuernas cortas. — El mismo ejercicio con manos en supinación sobre la barra.
Deltoides anterior Pectorales		— Apoyado en un plano inclinado 45° con dos mancuernas cortas. Elevar alternativamente las mancuernas a la altura de la cabeza, con los brazos extendidos. — Repetir el ejercicio elevando simultáneamente los brazos extendidos.
Deltoides anterior Pectorales		— Realizarlo con las manos en supinación. — Repetirlo separando ligeramente los brazos de los costados.

3.3.1.1. Miembros superiores y parte alta del tronco

Grupos musculares solicitados	Descripción o esquema de los ejercicios	Indicaciones para su ejecución
Deltoides (externo y anterior)		— Elevar la barra a la altura del mentón. — Repetir el ejercicio con apoyo ventral sobre un plano inclinado 45°.
Deltoides parte externa y anterior.		— Realizarlo con las manos separadas (desarrolla los trapecios). — Efectuarlo de nuevo con las manos en supinación (desarrolla el deltoides, parte posterior, y trapecio).
Deltoides externo y tríceps.		— De rodillas en el suelo, manos en pronación. Elevar alternativamente los brazos extendidos por encima de la cabeza, separando los codos del cuerpo.
Deltoides externo y tríceps.		— Sentado en un banco, con una mancuerna en cada mano a la altura de los hombros. Evitar arquearse.

3.3.1.1.   Miembros superiores y parte alta del tronco

Grupos musculares solicitados	Descripción o esquema de los ejercicios	Indicaciones para su ejecución
Deltoides externos, trapecios		— Brazos extendidos delante de los muslos sosteniendo una mancuerna con cada mano. Elevar lateralmente los brazos semiextendidos por encima de la cabeza.
Deltoides externos y trapecios		— Sentado en un banco, con los brazos a lo largo del cuerpo, y una mancuerna en cada mano. Elevar los brazos a la altura de los hombros.
Parte externa y posterior del deltoides		— Por detrás de la espalda. Elevar los brazos hasta la altura de los hombros.
Partes externa y posterior del deltoides		— Sentado sobre un costado con una mancuerna en una mano en pronación, elevar lateralmente el brazo lo más alto posible.

3.3.1.1. Miembros superiores y parte alta del tronco

Grupos musculares solicitados	Descripción o esquema de los ejercicios	Indicaciones para su ejecución
Deltoides y pectorales		— Describir círculos, con los brazos extendidos, en un sentido, y después en el otro.
Deltoides y pectorales		— De pie, apoyarse en una pared y elevar progresivamente la mancuerna hasta el nivel del hombro describiendo pequeños círculos en un sentido y después en el contrario.
Deltoides (externo y anterior) Pectorales y trapecios		— Con una mancuerna en cada mano, sujetas en pronación, un brazo extendido por delante de la cabeza, y el otro delante de los muslos. Describir círculos alternativamente en un sentido, y después en el otro. Cada brazo trabaja en sentido opuesto.
Pectorales y deltoides		— Plano inclinado 45°, con una mancuerna en cada mano, sujetas en pronación, brazos extendidos. Describir grandes círculos, en un sentido y luego en el contrario.

3.3.1.1. Miembros superiores y parte alta del tronco

Grupos musculares solicitados	Descripción o esquema de los ejercicios	Indicaciones para su ejecución
Parte posterior del deltoides Deltoides		— Tumbado lateralmente sobre un costado, un brazo delante del pecho con una mancuerna, manos en pronación. Elevar el brazo extendido hasta la vertical. — Elevar el brazo extendido hasta la vertical todo lo alto que sea posible.
Parte externa del deltoides		— Reclinado sobre un costado del cuerpo, con un brazo extendido a lo largo de la cabeza con una mancuerna corta, mano en pronación.
Parte posterior del deltoides		— Tumbado plano boca abajo sobre un banco, con los brazos extendidos hacia el suelo, y una mancuerna en cada mano, en pronación.
Deltoides posterior		— Posición con los pies separados, busto inclinado 90° hacia delante, con una mancuerna en cada mano, elevar lateralmente los brazos.
Dorsales, deltoides posterior		— Posición con los pies separados, busto inclinado hacia delante, brazos hacia el suelo con una mancuerna en cada mano. Llevar los brazos extendidos hacia atrás del cuerpo. Otro ejercicio con las manos en supinación. Otro ejercicio con las manos en pronación. — Llevar la barra contra el pecho flexionando los brazos; codos pegados al suelo. — Repetir el ejercicio con las manos en pronación.
Dorsales, deltoides posterior		— De pie, con las piernas separadas, busto inclinado hacia delante, manos apoyadas sobre un banco. Llevar la mancuerna lo más alto posible cerca del pecho flexionando el brazo, codos separados del cuerpo. — Efectuar el mismo ejercicio con la mano en supinación.
Dorsales, deltoides posterior		— Repetir el ejercicio manteniendo el codo al lado del cuerpo durante todo el movimiento. — Realizarlo de nuevo con la mano en pronación.

3.3.1.1. Miembros superiores y parte alta del tronco

Grupos musculares solicitados	Descripción o esquema de los ejercicios	Indicaciones para su ejecución
Dorsales y deltoides posterior		— De pie, con posición de pies separados, sostener una barra larga por un extremo. Llevar el extremo de la barra hacia el pecho.
Dorsales y deltoides posterior		— La barra se sujeta con una mano.
Músculos de la espalda		— Suspendido de una barra fija, agarre de la barra en pronación. Llevar la nuca hasta que contacte con la barra. Espirar durante el movimiento de tracción. — Repetir el ejercicio, con las manos separadas o más juntas. — Ejecutarlo de nuevo con las manos en supinación, con las variantes de realización de la tracción, barra delante del mentón.
Flexores del brazo (bíceps, braquial anterior, supinador largo y músculos del antebrazo).		— Repetirlo con un solo brazo. — Espirar durante la flexión, separar al máximo el agarre de manos en la barra. Acercar las manos en la barra, de modo que queden una al lado de otra. Este movimiento solicita particularmente al bíceps.
Tríceps		— Flexión y extensión de los antebrazos. Inspirar durante la flexión. — Sentado, en un plano inclinado de 45°, sostener la barra por encima de la cabeza.
		— Reclinado lateralmente sobre un banco inclinable. Flexión y extensión de los antebrazos.
		— Pies separados, con piernas semiflexionados, busto inclinado hacia delante, un brazo apoyado sobre la rodilla. Extensión del antebrazo hacia atrás.
		— Reclinado lateralmente, flexionar el antebrazo por detrás de la cabeza, y después extensión.

3.3.1.1. Miembros superiores y parte alta del tronco

Grupos musculares solicitados	Descripción o esquema de los ejercicios	Indicaciones para su ejecución
Tríceps		— Barra tras nuca, manos en pronación. — Extensión de los antebrazos. — La misma forma de trabajo en posición sentado sobre un banco.
		— De pie, un brazo flexionado por detrás de la cabeza con una mancuerna, mano en pronación sobre la mancuerna. Extensión del antebrazo.
Tríceps		La misma forma de trabajo en posición sentado.
Tríceps		— Recostado de espalda sobre un banco, brazos flexionados por detrás de la cabeza, manos en pronación. Espirar durante la extensión. — Variante del ejercicio que exige más flexibilidad de hombros. Columna lumbar plana.
		— Mancuerna en cada mano en semipronación. — Extensión de los antebrazos en un plano vertical. — Ejercicio con manos en supinación. — Ejercicio con manos en pronación.
		— Un antebrazo en extensión, vertical, y el otro flexionado sobre el pecho. Extensiones alternativas de los antebrazos. Ejercicio con manos en pronación. Ejercicio con manos en semipronación. Ejercicio trabajando con un solo brazo.

3.3.1.1. Miembros superiores y parte alta del tronco

Grupos musculares solicitados	Descripción o esquema de los ejercicios	Indicaciones para su ejecución
Los flexores del brazo (bíceps, braquial anterior, supinador largo y los músculos del antebrazo).		— Agarre de la barra con máxima separación de manos. — Acercar las manos en la barra, de modo que queden una al lado de otra. — Este movimiento solicita particularmente a los bíceps.
Bíceps braquial anterior, supinador largo y músculos del antebrazo. Bíceps braquial anterior Supinador largo y músculos del antebrazo.		— Una mancuerna en cada mano con agarre en supinación. Espirar durante la flexión del antebrazo sobre el brazo. — Otro ejercicio con una mancuerna sola. — Otro ejercicio con los brazos extendidos lateralmente.
Bíceps, braquial anterior Supinador largo		— Sentado en un banco, dos mancuernas, manos en supinación. Espirar durante la flexión. — Otro ejercicio con una barra larga.

3.3.1.1. Miembros superiores y parte alta del tronco

Grupos musculares solicitados	Descripción o esquema de los ejercicios	Indicaciones para su ejecución
Bíceps, braquial anterior Supinador largo		— Con mancuernas separadas, flexiones simultáneas, manos en seno-pronación. — El mismo ejercicio con las manos en supinación. — Repetirlo con las manos en pronación.
Bíceps braquial anterior, supinador largo y músculos del antebrazo		— Sobre un plano inclinado 45°, manos en supinación con mancuernas cortas. — Repetir el ejercicio con flexiones simultáneas. — El mismo ejercicio con las manos en pronación. — Repetirlo efectuando rotaciones en el curso del movimiento.
Bíceps, braquial anterior, supinador largo y músculos del antebrazo.		— Con una barra larga sobre un plano inclinado en posición de pie. — Apoyo del codo que ejecuta el movimiento sobre la cara interna del muslo del mismo lado. Mantener este apoyo con la mano que no trabaja.
Bíceps, braquial anterior Supinador largo y músculos del antebrazo		— En esta posición, es posible dar un impulso con el busto y las piernas. — Mancuerna corta cargada en el medio y sostenida con dos manos en supinación. Espirar al flexionar. — El mismo ejercicio, con los codos sobre un banco. — Repetir el ejercicio en posición de pie. — Mayor localización del trabajo del bíceps.

3.3.1.1. Miembros superiores y parte alta del tronco

Grupos musculares solicitados	Descripción o esquema de los ejercicios	Indicaciones para su ejecución
Bíceps, braquial anterior Supinador largo y músculos del antebrazo		— Recostado con la espalda plana sobre un banco, manos en supinación con mancuernas cortas. — Flexionar los antebrazos sobre los brazos con un movimiento de rotación. Posibilidad: Manos en supinación durante toda la flexión. Manos en pronación.
		— Recostado con el pecho plano sobre un banco, brazos con una barra larga sostenida en supinación, manos próximas. Espirar durante la flexión.
		— Apoyado sobre un plano inclinado. Mano en supinación con una mancuerna corta. Trabajo muy localizado del bíceps. Espirar durante la flexión. — Posibilidad: con los dos brazos y dos mancuernas. Con los dos brazos y una barra larga.
		— El mismo ejercicio en posición agachada, apoyando el codo sobre la rodilla.
Bíceps, braquial anterior, músculos del antebrazo y supinador largo		— Sentado en un banco, brazo en extensión sobre un apoya-codo, manos en supinación. — El mismo ejercicio recostado sobre el pecho en un plano inclinado, con una barra larga sujeta en supinación.
Bíceps, braquial anterior, y secundariamente músculos del antebrazo y supinador largo		— De pie, apoyando el busto.
		— Posición de pie, posibilidad de apalancar el movimiento. Este ejercicio requiere buena musculación lumbar, a fin de evitar cualquier accidente.

3.3.1.1. Miembros superiores y parte alta del tronco

Grupos musculares solicitados	Descripción o esquema de los ejercicios	Indicaciones para su ejecución
Músculos flexores de los antebrazos		— De pie, piernas separadas, codos pegados al cuerpo, con una barra larga asida en supinación. — En la misma posición, asir un bastón con polea lastrada, codos pegados al cuerpo, manos en pronación.
Músculos de los antebrazos		— Decúbito dorsal sobre un banco, con una barra sujeta en pronación detrás de la cabeza. Flexionar las manos sobre los antebrazos.
Músculos de los antebrazos		— De rodillas, o sentado, apoyando un brazo y antebrazo, con una mancuerna corta cargada en la mano. Elevar la barra y luego bajarla.
Músculos de los antebrazos		— De pie, brazos extendidos a lo largo del cuerpo, barra larga sostenida en pronación. Elevar los antebrazos en un plano horizontal, manteniendo los codos pegados al cuerpo y espirando.

3.3.1.1.   Miembros superiores y parte alta del tronco

Grupos musculares solicitados	Descripción o esquema de los ejercicios	Indicaciones para su ejecución
Músculos de los antebrazos	Variante: El mismo ejercicio con un disco de hierro fundición como carga suplementaria.	— Sentado, codos sobre una mesa, antebrazos verticales, manos en pronación sujetando una anilla de extensor. Flexión y extensión de las manos sobre los antebrazos.
Tríceps, deltoides y pectorales		— Codos y antebrazos sujetando una barra en supinación. Flexión y extensión de las manos sobre los antebrazos. — Misma posición, pero con las manos en pronación. — Apoyándose en unas barras paralelas, flexión y extensión de los brazos.

3.3.1.1. Miembros superiores y parte alta del tronco

Grupos musculares solicitados	*Descripción o esquema de los ejercicios*	*Indicaciones para su ejecución*
Pectorales, dorsales y romboides mayor		— Decúbito dorsal, piernas en corchete. Brazos hacia atrás de la cabeza, inspirar, y volver a la vertical espirando. — El mismo ejercicio con los pies apoyados contra la pared, a fin de conservar mejor la columna lumbar en posición plana. — Decúbito dorsal, mantener los codos en contacto con el tronco, y flexionarlos bien. — Repetir el ejercicio, manos en supinación sobre la barra. — El mismo ejercicio con los brazos extendidos. — Prestar mucha atención a la columna lumbar.

3.3.1.1. Miembros superiores y parte alta del tronco

Grupos musculares solicitadcs	*Descripción o esquema de los ejercicios*	*Indicaciones para su ejecución*
Pectoral mayor y tríceps		— Atletismo (lanzamientos, saltos con pértiga), remo, canoa kayak, halterofilia, lucha, boxeo, baloncesto. — Recostado de espalda, elevaciones con diversas posiciones de manos. Evitar toda lordosis. — El mismo ejercicio con dos mancuernas. — Inspirar al descender. — Espirar al elevar.
Músculos pectorales, porción inferior costal y deltoides		— Decúbito dorsal acostado plano sobre un banco, dos mancuernas sujetas en semipronación.
Pectorales		— Decúbito dorsal, una mancuerna en cada mano, en semipronación. Llevar los brazos extendidos delante del pecho y después cruzar el plano medio.
Pectorales		— Plano inclinado, sentado, elevaciones tipo press militar.
Pectorales		— Utilizar dos mancuernas cortas, con manos en pronación. — Ejercicio con las manos en semipronación. — Ejercicio con las manos en supinación.

3.3.1.2. Miembros inferiores y parte baja del tronco

Grupos musculares solicitados	Descripción o esquema de los ejercicios	Indicaciones para su ejecución
Músculos glúteos y de los muslos		— Dar un paso delante con flexión espirando, con barra sobre los hombros y volver a posición inicial.
		— Apoyando un pie sobre un banco, extensión de la pierna flexionada.
Bíceps crural		— De pie, con calzado lastrado, apoyando la rodilla, flexión de la pierna sobre el muslo, espirando.
Bíceps crural		— El mismo ejercicio boca abajo sobre un banco.

3.3.1.2. Miembros inferiores y parte baja del tronco

Grupos musculares solicitados	Descripción o esquema de los ejercicios	Indicaciones para su ejecución
Bíceps crural		— Recostado sobre el pecho en un plano inclinado 45°, flexionar las piernas sobre los muslos, espirando.
Músculos extensores del muslo		— Tumbado de espaldas sobre un banco horizontal con calzado lastrado. Extensión de las pantorrillas en la prolongación de los muslos.
Músculos del muslo (zona externa y anterior)		— De pie apoyado. Elevación lateral de un segmento inferior, espirando. — El mismo ejercicio describiendo grandes círculos con la pierna extendida en un sentido y después en el contrario.

3.3.1.2. Miembros inferiores y parte baja del tronco

Grupos musculares solicitados	Descripción o esquema de los ejercicios	Indicaciones para su ejecución
Vasto externo, recto anterior, vasto interno, sartorio Músculos extensores del muslo y secundariamente glúteos y gemelos Cuádriceps extensor del muslo		— Extensión del tronco inferior, espirando. — De pie, en posición separada con barra sobre los hombros, flexión del tren inferior, busto recto, talones en contacto con el suelo. Descender la pelvis por debajo del plano de las rodillas.
Músculos extensores del muslo Músculos extensores del muslo	• Flexionar sobre las piernas manteniendo el busto bien erguido durante todo el movimiento, y después enderezarse al máximo. • De pie, con la barra sujeta en pronación delante de los muslos, los talones sobre un zócalo. 	— De pie, con la barra sobre las clavículas, busto recto, flexión, extensión del tren inferior. — Pasar las rodillas hacia delante sin despegar los talones. El mismo ejercicio con las manos en supinación.

3.3.1.2. Miembros inferiores y parte baja del tronco

Grupos musculares solicitados	*Descripción o esquema de los ejercicios*	*Indicaciones para su ejecución*
Músculos extensores del muslo	● De pie, en posición separada por encima de la barra, una mano en supinación delante del cuerpo, la otra en pronación detrás. 	— Flexión y extensión del tren inferior, si se quiere trabajar con mucho peso, utilizar un cinturón. Inspirar al efectuar la extensión.
Cuádriceps Vasto externo y aductores	● Agachado en el suelo, con una barra sobre los hombros. Avanzar enderezándose ligeramente. 	— Con piernas muy separadas, barra sobre los hombros. Flexionar lateralmente sobre una pierna, y luego sobre la otra. Respirar durante las flexiones.
Músculos extensores del muslo Músculos extensores del muslo	● Flexión con las rodillas hacia un lado, volver a enderezarse, y flexionar luego hacia el otro lado, espirando. 	— De pie, en equilibrio sobre una pierna, apoyándose con una mano, y agarrando una mancuerna con la otra. Flexionar sobre una pierna, enderezarse, flexionar sobre la otra, volver a la posición de partida. Flexionar sobre la otra pierna.

3.3.1.2. Miembros inferiores y parte baja del tronco

Grupos musculares solicitados	Descripción o esquema de los ejercicios	Indicaciones para su ejecución
		— Flexionar las piernas llevando los brazos hacia detrás del cuerpo. Luego saltar manteniendo juntos los pies y espirando.
Músculos extensores de los muslos y de los pies	● De pie, con dos mancuernas sujetas en pronación, brazos extendidos. 	
Tríceps sural Músculos extensores de la pierna Sóleo	● De pie, barra sobre los hombros, las puntas de los pies sobre el borde de un zócalo. Elevar los talones lo más alto posible, y luego bajarlos. 	— Sentado en un banco, con los pies reposando sobre un zócalo, barra sobre las rodillas. Elevar los talones todo lo posible.
Músculos extensores de la zona posterior de la pierna.	● De pie, una pierna flexionada, con el pie en un zócalo y una barra sobre la rodilla. Elevar el talón lo más alto posible. 	— De pie, con la punta de un pie sobre un zócalo, elevarse lo más alto posible.

3.3.1.2. Miembros inferiores y parte baja del tronco

Grupos musculares solicitados	Descripción o esquema de los ejercicios	Indicaciones para su ejecución
Músculos extensores de la zona posterior de la pierna, particularmente los gemelos Músculos extensores de las piernas, de los muslos y glúteos.	● De pie, con una barra sobre los hombros, saltar verticalmente sobre una pierna. El mismo ejercicio con dos mancuernas cortas en las manos.	— Cuerpo en posición oblicua, apoyándose sobre un pie, con un disco colgando de la cintura.
Tibial anterior		— Sentado en un banco, con los talones sobre un zócalo, y las puntas de los pies soportando un disco de pesas. Flexionar los pies hacia las piernas.
Tibial anterior		— El mismo ejercicio con calzado lastrado.
Músculos flexores de los antebrazos		— De pie, con las manos en pronación sujetando una bobina con pesas. Enrollar la cuerda hacia sí mismo.

3.3.1.2. Miembros inferiores y parte baja del tronco

Grupos musculares solicitados	*Descripción o esquema de los ejercicios*	*Indicaciones para su ejecución*
		— Efectuar un levantamiento desde tierra enderezando el busto hasta la vertical. Manos en pronación o en supinación. Espirar al apoyar la barra.
Músculos de los canales vertebrales (gran dorsal y sacrolumbar) Músculos de los canales vertebrales (gran dorsal y sacrolumbar)		— El mismo ejercicio sentado en un banco, con una barra tras nuca, espirar al flexionar el tronco.
		— Posición con pies separados: flexión y elevación del tronco. Espirar al flexionar.
		— El mismo ejercicio con un paso adelante.

3.3.1.2. Miembros inferiores y parte baja del tronco

Grupos musculares solicitados	*Descripción o esquema de los ejercicios*	*Indicaciones para su ejecución*
Músculos de los canales vertebrales (gran dorsal y sacrolumbar)	● Tumbado sobre un banco, con los tobillos sujetos con una cinta. Barra sobre los hombros.	— Enderezar el tronco hasta la horizontal, y volver a bajar, espirando.
Músculos glúteos y oblicuos externos		— Elevar las piernas lo más alto posible, inspirando.
Músculos glúteos y secundariamente los lumbares		— Con calzado lastrado en los pies. Extensión de un miembro inferior.
Músculos glúteos		— Tumbado boca abajo sobre un banco horizontal. Extender hacia arriba miembro inferior, con el pie lastrado.

3.3.1.2. Miembros inferiores y parte baja del tronco

Grupos musculares solicitados	Descripción o esquema de los ejercicios	Indicaciones para su ejecución
		— Estirado sobre la espalda en un plano inclinado, con calzado lastrado. Sin separar los lumbares, con la tabla inclinada. Cerrar el ángulo tronco-tren inferior.
Recto mayor inferior		— La misma posición de partida. Llevar alternativamente los muslos sobre la pelvis.
Recto mayor superior		— En un plano inclinado, con los pies sujetos por una cinta. Flexionar el tronco hacia los muslos.
		— Ejercicio con una barra sobre los hombros. Ejercicio con una barra delante del pecho.

3.3.1.2. Miembros inferiores y parte baja del tronco

Grupos musculares solicitados	Descripción o esquema de los ejercicios	Indicaciones para su ejecución
Recto mayor superior Recto mayor inferior		— Barra corta tras nuca con los codos separados. Espirar flexionando el tronco hacia los muslos. (Flexión del tronco con torsión.)
		— Ejercicio con una barra sobre los hombros. Ejercicio con una barra delante del pecho. Ejercicio con dos mancuernas.
		— Tijeras horizontales, con las piernas extendidas. Espirar en cada cruce.
		— Grandes círculos, con las piernas separadas. — Ejercicio con piernas juntas, trazando grandes círculos. — Piernas hasta la vertical, bajarlas por la izquierda y luego por la derecha. — Piernas extendidas, pequeños círculos a 20 cm del suelo.

3.3.1.2. Miembros inferiores y parte baja del tronco

Grupos musculares solicitados	Descripción o esquema de los ejercicios	Indicaciones para su ejecución
Oblicuos mayor y menor		— Posición de pie. Inclinar lateralmente el tronco, inspirando. Otro ejercicio, llevar la mancuerna hasta debajo de la axila.
		— Igual que el ejercicio anterior, pero con una mancuerna en cada mano.
		— Posición con piernas separadas, y barra tras nuca.
		— Sentado, con una mancuerna corta cargada en medio, y los brazos extendidos por encima de la cabeza.

3.3.1.2. Miembros inferiores y parte baja del tronco

Grupos musculares solicitados	*Descripción o esquema de los ejercicios*	*Indicaciones para su ejecución*
Oblicuos mayor y menor		— Efectuar rotaciones del tronco a izquierda y a derecha con la máxima amplitud y espirar en la rotación.
Oblicuos mayor y menor		— Sentado en un banco. El mismo ejercicio.
	● Sentado en un banco, con barra larga sobre los hombros, y brazos distanciados todo lo posible.	— Rotación del tronco a la izquierda y después a la derecha. Espirar en la rotación.
		— El mismo ejercicio en posición de pie.

3.3.2. MUSCULACION CON APARATOS

3.3.2.1. Miembros superiores y parte alta del tronco

Grupos musculares solicitados	Descripción o esquema de los ejercicios	Indicaciones para su ejecución
Tríceps	• *Máquina para tríceps*	
Esternocleidomastoideo	• *Máquina para el cuello*	
Tríceps	• *Aparato para tríceps*	
Tríceps	• *Máquina para tríceps*	

3.3.2.1. Miembros superiores y parte alta del tronco

Grupos musculares solicitados	Descripción o esquema de los ejercicios	Indicaciones para su ejecución
Tríceps, deltoides, pectorales	• *Aparato para flexiones de brazos en plano inclinado*	
Bíceps	• *Máquina para bíceps*	
Bíceps	• *Máquina para bíceps*	
Bíceps	• *Máquina para bíceps (alternada)*	

3.3.2.1. Miembros superiores y parte alta del tronco

Grupos musculares solicitados	Descripción o esquema de los ejercicios	Indicaciones para su ejecución
Tríceps		— Espirar al flexionar
(Gran dorsal) Bíceps, tríceps	● *Jalones en polea alta* 	
Tríceps, gran dorsal, fijación del deltoides.	● *Polea multiusos* 	

3.3.2.1. Miembros superiores y parte alta del tronco

Grupos musculares solicitados	Descripción o esquema de los ejercicios	Indicaciones para su ejecución
Gran dorsal	● *Máquina para dorsales* ● *Máquina para pectorales 45°*	
Pectorales	● *Máquina para pectorales*	— Polea baja (trabajo del tronco en «densidad»).
Bíceps, pectorales, romboides, dorsales		

3.3.2.1.   Miembros superiores y parte alta del tronco

Grupos musculares solicitados	Descripción o esquema de los ejercicios	Indicaciones para su ejecución
Pectorales	● *Máquina para pull-over* ● *Máquina para giros (para afinar la cintura).* ● *Máquina para pectorales*	
Pectorales		
Grandes pectorales Serrato mayor		

3.3.2.1. Miembros superiores y parte alta del tronco

Grupos musculares solicitados	Descripción o esquema de los ejercicios	Indicaciones para su ejecución
Pectorales	● *Máquina para pectorales, reclinado*	
Pectorales Grandes dorsales Bíceps	● *Máquina para pectorales, sentado* ● *Aparato para dorsales*	
Romboides	● *Máquina para romboides*	

3.3.2.2. Miembros inferiores y parte baja del tronco

Grupos musculares solicitados	Descripción o esquema de los ejercicios	Indicaciones para su ejecución
Psoas-ilíaco Recto anterior	● *Máquina para psoas-ilíaco*	
Cuádriceps, glúteos, gemelos, isquiotibiales		
Glúteos	● *Máquina para glúteos*	

3.3.2.2. Miembros inferiores y parte baja del tronco

Grupos musculares solicitados	Descripción o esquema de los ejercicios	Indicaciones para su ejecución
Cuádriceps	• *Hack o flexión en posición inclinada*	
Cuádriceps	• *Presse inclinada 45°*	
Cuádriceps	• *Presse en posición horizontal*	
Cuádriceps		

3.3.2.2. Miembros inferiores y parte baja del tronco

Grupos musculares solicitados	Descripción o esquema de los ejercicios	Indicaciones para su ejecución
Sóleo, tibiales, gemelos	● *Extensión de piernas*	
Cuádriceps		
Cuádriceps		
Sóleo		

3.3.2.2. Miembros inferiores y parte baja del tronco

Grupos musculares solicitados	Descripción o esquema de los ejercicios	Indicaciones para su ejecución
Isquiotibiales	● *Máquina para isquiotibiales*	
Isquiotibiales	● *Aparato para isquiotibiales*	
Abductores Glúteos		
Aductores		

3.3.2.2.   Miembros inferiores y parte baja del tronco

Grupos musculares solicitados	Descripción o esquema de los ejercicios	Indicaciones para su ejecución
Aductores	● *Máquina para aductores* 	

3.4. EJERCICIOS DE MUSCULACION EMPLEADOS EN LA PRACTICA DE LA HALTEROFILIA

3.4.1. EJERCICIOS DE MUSCULACION GENERAL O CON DOMINANTE

3.4.1.1. Ejercicios de arrancada

Grupos musculares solicitados	Descripción o esquema de los ejercicios	Indicaciones para su ejecución
Trabajo dinámico de los extensores de la cadera y acción frenadora de los mismos músculos a la recepción en semiflexión. *Músculos del tren inferior:* glúteos, tríceps sural, cuádriceps, tensor de la fascia lata *Músculos posteriores del tronco* — Isométrico al principio del ejercicio. — Dinámico concéntrico al final del ejercicio (extensión del tronco) *Músculo de la cintura escapular* Trabajo de abducción de los brazos; deltoides espinoso superior. Rotación externa de los brazos: espinoso inferior, redondo menor, deltoides cabeza inferior. *Músculo extensor del codo* — Tríceps braquial.	• *Arrancada de pie* 	— La arrancada de pie es un ejercicio muy dinámico y permite mejorar la fuerza-velocidad del atleta. — Este ejercicio puede utilizarse en todos los deportes que necesiten una fuerza-velocidad elevada: Ej.: los lanzamientos en atletismo; disco, martillo, peso.
Trabajo de musculación global de los músculos de la cintura escapular, con predominio de la parte media de los deltoides, cuádriceps, isquiotibiales.	*Posición de arrancada de pie seguida de dos flexiones* 	*Posición de recepción* — Espalda plana contraída, ligeramente inclinada hacia delante. Miembros superiores extendidos con elevación de los hombros, lo que permite sostener la carga sin desequilibrio y sin relajación. — Barra por encima de la cabeza (evitar colocar la barra demasiado hacia atrás). — Glúteos ligeramente situados hacia atrás. — Apoyo plano de los pies.

3.4.1.1. Ejercicios de arrancada

Grupos musculares solicitados	Descripción o esquema de los ejercicios	Indicaciones para su ejecución
Gemelos, isquiotibiales, aductor, cuádriceps, glúteos, lumbares, abdominales, pectorales, dorsales, trapecio, deltoides, bíceps.		— Posición vertical del tronco y del cuerpo. — Elevación de los pies, los codos en un plano vertical, lo más alto posible. Evitar la oscilación de los codos hacia atrás; la anchura de las manos es bastante importante, pero una separación exagerada disminuye las posibilidades de elevación de los codos.
— Trabajo dinámico de los miembros inferiores (salto vertical, «détente»). — Musculación dinámica en cadena. Al ser las cargas más ligeras que para los hombros, no están tan solicitados los lumbares y el trapecio. Cuádriceps, deltoides, glúteos, lumbares, trapecio.	● *Posición fundamental*	— Piernas flexionadas al máximo, rodillas hacia delante, espalda plana inclinada hacia delante con los hombros por delante del plano vertical, pasando por la barra. — Peso del cuerpo sobre la parte delantera de los pies. — Brazos relajados.

3.4.1.1. Ejercicios de arrancada

Grupos musculares solicitados	Descripción o esquema de los ejercicios	Indicaciones para su ejecución
Acción del sartorio, cuádriceps, isquiotibiales, trabajo del glúteo mayor, aductor mayor, semitendinosos y también del tensor de la fascia lata.	● *Arrancada desde soportes* (flexión) 	— Los músculos extensores son los que proporcionan el trabajo más importante, y participan en todas las impulsiones de la posición agachada y permiten amortiguar la caída. — En este movimiento, el glúteo mayor, el aductor mayor y los isquiotibiales, trabajan simultáneamente para mantener una buena posición y preparar la impulsión (fijación de la pelvis por los lumbares y abdominales).
Extensión del muslo (glúteo mayor, isquiotibiales y cuádriceps), trabajo del sartorio para la extensión. Contracción de los lumbares y de los abdominales para fijar la pelvis. Contracción de los dorsales y de los trapecios inferiores permitiendo una mejor fijación de la espalda.	● *Arrancada desde soportes* (altura de las rodillas) 	— Control de la ejecución por un movimiento «conducido», es el principio de la extensión, y son los miembros inferiores los que permiten esta extensión, con trabajo muy importante de los glúteos, isquiotibiales y cuádriceps.

3.4.1.1.   Ejercicios de arrancada

Grupos musculares solicitados	Descripción o esquema de los ejercicios	Indicaciones para su ejecución
Isquiotibiales, cuádriceps-glúteos, lumbares-deltoides, trapecio.		— Pies ligeramente abiertos y rodillas en flexión completa, tronco ligeramente hacia delante. — Brazos en extensión. — *La recepción se hace con apoyo plano de pies.* — De la posición de partida a la posición de recepción en flexión, la barra debe permanecer en un plano vertical. — *La inspiración se hace antes de elevar.*
Acción de los miembros inferiores, la semiflexión exige un gran trabajo de los glúteos (glúteo mayor), y de los isquiotibiales (contracción concéntrica). Angulo cerrado de tobillos-piernas, trabajo del tibial anterior. Después acción de freno de los miembros anteriores. La fijación de la pelvis por la contracción de los lumbares y de los abdominales, los deltoides (posteriores y anteriores) así como el trapecio (superior) permiten sostener la barra en un plano vertical.	● *Arrancada de potencia* (semiflexión) 	— Los músculos extensores proporcionan un trabajo muy dinámico en una primera fase, a la que sigue una acción de freno para ralentizar la caída antes de llegar a la flexión completa. — Trabajo excéntrico del cuádriceps en oposición al trabajo de los isquiotibiales (concéntrico). — Movimiento muy próximo a la arrancada, flexión de potencia en lo que concierne a los miembros superiores.

3.4.1.1. Ejercicios de arrancada

Grupos musculares solicitados	Descripción o esquema de los ejercicios	Indicaciones para su ejecución
Contracción excéntrica de los glúteos. Isquiotibiales en estiramiento completo. Gemelos y sóleo en contracción estática. Gran estiramiento del cuádriceps (excéntrico). Trabajo de los aductores. Acción del deltoides y fijadores del omoplato para sostener la barra por encima de la cabeza en un plano vertical. Acción de los lumbares y abdominales para mantener fija la espalda.	● *Arrancada de potencia* (flexión)	— Los pies están ligeramente separados (trabajo de los aductores), tobillos y rodillas en flexión completa. — El tronco está ligeramente inclinado hacia delante (trabajo de los abdominales). — Los brazos están en un plano vertical en contracción estática y deben permanecer extendidos permitiendo una fijación total de la barra.
Esta posición sobreelevada permite por su amplitud, un buen estiramiento de los músculos isquiotibiales así como la de la articulación de la cadera. Al ser más importantes los ángulos tronco/muslo, muslo/pantorrilla, pantorrilla/pie, también es más importante la acción de los músculos extensores de la cadera y de la rodilla. Intervienen igualmente: glúteo mayor, aductor mayor, isquiotibiales, semitendinoso, cuádriceps crural, tensor de la fascia lata.	● *Arrancada de fuerza* (tablero bajo los pies)	— Este trabajo solicita principalmente los músculos extensores del cuerpo. Hay que observar que paralelamente a la acción del músculo glúteo mayor, entran en juego los músculos aductores mayores y el grupo de los músculos isquiotibiales. — En el campo del deporte los extensores participan en todas las impulsiones a partir de la posición agachada, y estos músculos juegan un papel muy importante en los movimientos destinados a amortiguar las caídas. Ej.: saltos de esquí, esquí alpino, etc.

3.4.1.1. Ejercicios de arrancada

Grupos musculares solicitados	Descripción o esquema de los ejercicios	Indicaciones para su ejecución
Contracción más intensa de los glúteos, isquiotibiales, cuádriceps (cierre del ángulo brazos, tronco, flexibilidad articular). Acción concéntrica dinámica de los músculos de los miembros inferiores, y después contracción estática de los dorso-lumbares, abdominales además del deltoides y tríceps para el sostenimiento de la barra.		— Atención a la primera fase del movimiento en donde la posición fundamental, espalda plana, es más difícil de obtener por el hecho del cierre brazos/tronco/muslos.
Contracción concéntrica de los cuádriceps, isquiotibiales, glúteos, tríceps sural, dorsales, abdominales, lumbares, trapecio, además del deltoides y tríceps para el sostenimiento de la barra.	● *Punto de partida con la barra en las rodillas*	— Caída bajo la barra (por el hecho de no saltar).

3.4.1.1. Ejercicios de arrancada

Grupos musculares solicitados	Descripción o esquema de los ejercicios	Indicaciones para su ejecución
Contracción isométrica de los dorsales, abdominales, lumbares, trapecio. Después contracción concéntrica del cuádriceps, isquiotibiales, glúteos, tríceps sural. Después flexión con contracción excéntrica del cuádriceps, isquiotibiales, glúteos, tensor de la fascia lata y aductores, en parada.	• *Arrancada con paso adelante alternado* 	— Ejercicio o más bien movimiento poco empleado, pues provoca una lordosis importante en la columna vertebral (el movimiento de flexión presenta mucha más seguridad a nivel del raquis).

3.4.1.2. Ejercicios de cargada

Grupos musculares solicitados	Descripción o esquema de los ejercicios	Indicaciones para su ejecución
a. Contracción isométrica de todos los músculos con relajación del tríceps y bíceps. b. Extensión de los miembros inferiores: cuádriceps, tríceps sural. c. Cierre final en flexión. Primer y segundo radial, cubital posterior de la muñeca en flexión: — glúteos — cuádriceps — isquiotibiales — tríceps sural	● *Cargada* 	a. Posición de partida con la espalda plana desde el nivel de las rodillas. b. Extensión completa piernas/brazos. c. Flexión.
a. Contracción isométrica de todos los músculos con relajación del tríceps y bíceps y mayor acción del cuádriceps. b. Tiro extensión completa: *Tren inferior:* — cuádriceps — tríceps sural *Tren superior:* — trapecio — deltoides c. Cierre final: primer y segundo radial cubital posterior Flexión: — cuádriceps — glúteos — isquiotibiales	● *Cargada con flexión en posición sobreelevada* 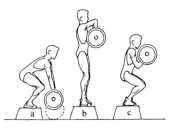	— Reforzar la acción de los cuádriceps. a. Posición de partida. b. Extensión del cuerpo. c. Flexión con cargada.

3.4.1.2. Ejercicios de cargada

Grupos musculares solicitados	*Descripción o esquema de los ejercicios*	*Indicaciones para su ejecución*
Contracción isométrica de todos los músculos con relajación del tríceps y bíceps: cuádriceps, trapecios, deltoides, bíceps. Cierre final de la cargada: primer y segundo radial, cubital posterior.	• *Cargada de fuerza en suspensión:* 	a. Posición de partida en suspensión. b. Elevación de fuerza sin extensión. c. Cierre final de fuerza sin flexión. — Hiperextensión de los miembros superiores.
a. Contracción isométrica de todos los músculos con relajación de tríceps y bíceps. b. Extensión completa de los miembros inferiores: tríceps sural, cuádriceps. c. Extensión completa de los miembros superiores: trapecio, deltoides medio. d. Cierre final en flexión: primer y segundo radial, cubital posterior. Flexión tren inferior: glúteos, cuádriceps, isquiotibiales, tríceps sural.	• *Cargada de potencia en suspensión:* 	a. Posición de partida. b. Elevación de potencia con hiperextensión inferior y superior. c. Cierre con flexión.

3.4.1.2.   Ejercicios de cargada

Grupos musculares solicitados	Descripción o esquema de los ejercicios	Indicaciones para su ejecución
a. Contracción isométrica de todos los músculos con relajación del tríceps y bíceps. b. Extensión completa del tren inferior. Acción de los: tríceps sural, cuádriceps (concéntrico), isquiotibiales (excéntrico), trapecios, deltoides. c. Cierre final sobre las clavículas. Acción de los deltoides: extensor del antebrazo para la cargada (muñeca): primer y segundo radial, cubital posterior.	● *Cargada de pie con paso adelante semiflexión* a b c	a. Pelvis colocada inclinada con la columna vertebral manteniendo la alineación. b. Extensión completa. c. Volver a colocar la pelvis en retroversión. Pierna adelante (ángulo muslo/pantorrilla muy próximo a los 90°). a. Posición de partida. b. Elevación de tierra y después extensión completa de los tobillos, piernas y hombros más elevación de los brazos al final de la extensión. c. Cierre final con la barra sobre las clavículas con paso adelante del tren inferior.
a. Contracción isométrica de todos los músculos con relajación del tríceps y bíceps. b. Extensión tren inferior: tríceps sural, cuádriceps, trapecios y deltoides. c. Cargada de pie (cierre final) deltoides. Extensor de la muñeca primer y segundo radial, cubital anterior. Flexión: glúteos, cuádriceps, isquiotibiales.	● *Cargada desde plataforma* (de pie o flexión) a b c o d	a. Partiendo de la plataforma, con la barra a un nivel por encima de las rodillas. b. Extensión completa. c. Cargada de pie. d. Cargada en flexión.

3.4.1.3. Ejercicios de alzada

Grupos musculares solicitados	Descripción o esquema de los ejercicios	Indicaciones para su ejecución
1. *Fase de preparación de la impulsión.* Acción de los flexores de las caderas y de las rodillas-psoas-ilíaco, recto anterior y sartorio-isquiotibiales.	● *Ejercicios de alzada con paso al frente*	*1.er tiempo:* Llevar el pie hacia delante: Glúteos. *2.º tiempo:* Llevar la pierna hacia atrás: acción de los rectos anteriores y del sartorios.
2. *Fase de extensión.* Acción de los extensores del cuerpo, tríceps sural, isquiotibiales, cuádriceps, espinosos. Del cuello (esplenio, complejo transversal del cuello espinoso costal). Acción de los deltoides y acciones de los fijadores de los omoplatos.		*3.er tiempo:* En posición de pie, extensión de la cadera y de la rodilla hacia delante.
3. *Fase de recepción.* Extensión de la cadera, glúteos e isquiotibiales en concéntrico hasta isométrico. Flexión de la rodilla hacia delante, isquiotibiales y flexores de la cadera adelante en concéntrico y después en isométrico.		
4. *Cierre final de los codos* Tríceps braquial en concéntrico y después en isométrico.		

3.4.1.3.   Ejercicios de alzada

Grupos musculares solicitados	Descripción o esquema de los ejercicios	Indicaciones para su ejecución
Flexores de las caderas: abdominales, lumbares, isquiotibiales, extensores de la rodilla, músculos de la espalda. Fase de impulsión. Contracción concéntrica de los músculos de la espalda (fijadores de los omoplatos, espirales) y deltoides, trapecios. Extensión del tobillo: tríceps sural. Extensión de la rodilla: cuádriceps.	*Ejercicio de alzada desde el soporte* 1. Con tiempo de parada en flexión 	
El ejercicio se emparenta con un trabajo en pliometría. El trabajo de los extensores está descartado. Se observa una relajación de los flexores de las rodillas y de los extensores de las caderas, y luego una contracción isométrica después de un trabajo de frenado.	2. Sin tiempo de parada 	

3.4.2. EJERCICIOS DE MUSCULACION ESPECIFICA

3.4.2.1. Miembros superiores y parte alta del tronco

Grupos musculares solicitados	Descripción o esquema de los ejercicios	Indicaciones para su ejecución
Pectorales Movimiento de base del trabajo de los pectorales con más participación del pectoral mayor superior.	● *Press de banca inclinada, agarre al ancho de los hombros*	— El agarre debe ser apenas algo más ancho que los hombros para un movimiento completo. — Los antebrazos deben estar verticales cuando la barra esté apoyada sobre el pecho. Desde la posición brazos extendidos verticalmente, descender hacia el esternón, lentamente y sin rebote. — Mantener los codos hacia atrás todo lo posible. — Se inspira cuando la carga desciende sobre el pecho.
Tríceps		— Se espira cuando sube la carga. Un agarre ancho hace trabajar el exterior del músculo, un agarre estrecho, la parte interna. — Es preferible la posición de los pies sobre el banco para evitar la hiperlordosis lumbar.
Triceps	● *Ejercicio de press de banca inclinada: agarre cerrado.*	— Si el agarre de la barra es menos cerrado, los codos deben mantenerse cerca del cuerpo.
Pectorales		

3.4.2.1.   Miembros superiores y parte alta del tronco

Grupos musculares solicitados	Descripción o esquema de los ejercicios	Indicaciones para su ejecución
— Romboides, redondo mayor y menor, angular, trapecio. — Espinoso superior, bíceps braquial y braquial anterior, deltoides. — Tríceps braquial. — Subespinoso (primer tiempo). — Escapular (segundo tiempo). Pectoral mayor. — Rectos mayores, oblicuos, transversos, lumbares, espinosos.	• *Ejercicio de press sentado* principio final	
Pectorales Participación porción superior de los pectorales. Participación del deltoides (parte anterior) y tríceps.	• *Press de banca inclinada*	(Puede realizarse con dos mancuernas o con una barra.) — El banco debe estar inclinado 45° para no implicar excesivamente en el ejercicio a la parte anterior del deltoides. — Si se utilizan mancuernas, puede obtenerse un arco de movimiento más amplio. — Con las mancuernas, es posible descender manteniendo los codos hacia atrás.

3.4.2.1. Miembros superiores y parte alta del tronco

Grupos musculares solicitados	Descripción o esquema de los ejercicios	Indicaciones para su ejecución
Deltoides Participación más importante del deltoides anterior y medio, también intervienen el deltoides posterior y el pectoral mayor superior.	● *Press militar con barra* 	— Llevar la barra a la altura de los hombros y extensión de los brazos hasta la vertical.
Movimiento análogo al precedente.	● *Press tras la nuca* 	— Se baja la barra hasta la nuca. Deben mantenerse los codos hacia atrás.

3.4.2.1. Miembros superiores y parte alta del tronco

Grupos musculares solicitados	Descripción o esquema de los ejercicios	Indicaciones para su ejecución
Participación más importante del pectoral menor y de la parte inferior del pectoral mayor. Participación del tríceps.	● *Press declinado* 	

3.4.2.2. Miembros inferiores y parte baja del tronco

Grupos musculares solicitados	Descripción o esquema de los ejercicios	Indicaciones para su ejecución
Primer tiempo de parada por debajo de la rodilla. Trabajo isométrico. Psoas-ilíaco y cuádriceps.	● *Ejercicio de remo con barra.* — Remo con barra con tiempo de parada	— Ver remo con barra o elevación desde plataformas.
Segundo tiempo de parada por encima de las rodillas (rótulas), trabajo isométrico de los lumbares y del gran dorsal.		
Remo con barra, acción concéntrica del romboides, trapecio, redondo mayor, subescapular, subespinoso y deltoides posteriores. Participación del bíceps.	— Remo con barra con elevación de los codos, desde plataformas.	— Las mismas características que anteriormente. — Codos por encima de la barra.
Acción combinada del espinoso, y de los extensores del tronco.	● *Ejercicio de remo con barra (arrancada o cargada) con saltos verticales*	— Agarre ancho de manos (arrancada) o — Agarre cerrado de manos (cargada) — *Posición de partida* — Desde el suelo o — Desde las rodillas

3.4.2.2.   Miembros inferiores y parte baja del tronco

Grupos musculares solicitados	Descripción o esquema de los ejercicios	Indicaciones para su ejecución
Fase de flexionado de las rodillas: cuádriceps (recto anterior, crural vasto interno, vasto externo) en concéntrico. Músculos espinosos (dorsal largo, sacro-lumbar, transverso, espinoso y músculos lumbares), y fijador del omoplato (romboides, trapecio inferior, angular) en isometría. *Fase de elevación de las rodillas:* extensor de las caderas; glúteo mayor, isquiotibiales (semimembranosos, semitendinosos, bíceps femoral o crural largo), lumbares en concéntrico. *Fase de fin de la elevación:* gemelos y sóleo, extensión completa de las rodillas, cuádriceps (recto anterior), deltoides y trapecio superior.	● *Ejercicio de elevación a partir de plataformas* Principio Final 	Mantener la espalda plana durante el ejercicio. *Consignas:* — Extensión de los tobillos con flexión dorsal de los pies. — Flexión del deltoides y trapecio. — Brazos relajados.
Tríceps sural, extensores pantorrilla/muslo, extensores muslo/pelvis, isquiotibiales. Abdominales-lumbares (estático) Fijadores de omoplatos (estático)	● *Sentadilla* — Gracias a la flexión completa de los tobillos y de las rodillas, el trabajo está más localizado por encima de la rodilla. 	— Cabeza en la prolongación del cuerpo. — Barra colocada sobre los trapecios. — Separación de manos a la anchura de los hombros. — Pelvis en retroversión. — Control del descenso inspirando. — *Espirar al subir.* *Dos variantes de posición de los pies* *Pies cerrados* Trabajo más localizado por encima de la rodilla y en el exterior del muslo. *Pies separados* Trabajo más localizado a nivel del interior del muslo

3.4.2.2. Miembros inferiores y parte baja del tronco

Grupos musculares solicitados	Descripción o esquema de los ejercicios	Indicaciones para su ejecución
Tríceps sural, extensores pantorrilla/muslo, extensores muslo/pelvis, isquiotibiales. Abdominales-lumbares (estático) Fijadores de omoplatos (estático)	● *Media sentadilla* — Hay que observar que en el curso de la ejecución de la sentadilla, se solicitan los músculos dorsales.	— Los mismos que en el ejercicio precedente.
Tríceps sural, extensores pantorrilla/muslo, extensores muslo/pelvis, isquiotibial, abdominales-lumbares (estático). Fijadores de omoplatos (estáticos). Deltoides (anteriores). Bíceps braquial.	● *Flexión completa con barra en la clavícula* (sentadilla frontal canadiense). ● *1/2 flexión con barra en la clavícula*	— Pensar en mantener altos los codos durante la ejecución del ejercicio, ya que si no se hiciera así en caso de cargas pesadas se produciría un desequilibrio hacia delante. — Los mismos que para el ejercicio precedente.

3.4.2.2. Miembros inferiores y parte baja del tronco

Grupos musculares solicitados	Descripción o esquema de los ejercicios	Indicaciones para su ejecución
Tren inferior (los mismos que en el ejercicio precedente) Y además: Fijadores de omoplatos Deltoides anteriores externos Trapecios Gran dorsal Tríceps Bíceps braquial	• Flexión partiendo de arrancada con barra asida por los extremos 	— Control del descenso inspirando. — Pensar en mantener rígidos los codos. — Anteversión de la pelvis. — Espirar al subir.
	• 1/2 flexión partiendo de arrancada con barra asida por los extremos 	— Los mismos que para el ejercicio precedente.